La
Serie
Empieza

Alba Arango

EL ZAFIRO MÁGICO

Los Decodificadores

Publicado por primera vez en 2013 como *The Decoders in The Magic Sapphire* por Alba Arango. Esta edición publicada en 2020 por Sapphire Books.

Traducción por Alba Arango y Alba I. Arango

Publicado por Sapphire Books
P.O. Box 753842
Las Vegas, NV 89131

Portada del libro e ilustraciones por Jeanine Henning

Para obtener información sobre el permiso, escriba a Sapphire Books P.O. Box 753842. Las Vegas, NV 89136

Número de control de la Biblioteca del Congreso: 2019920480

ISBN: 978-1-952007-00-2

Para Mamy and Papy
Gracias por creer siempre en mí.

CONTENIDO

CAPÍTULO 1
LA MALETA MISTERIOSA

Steve se mordió el labio. No pudo explicarlo, pero desde que se enteró de la subasta, se sintió obligado a ir, como si algo lo llamara. Sacudió la cabeza, tratando de deshacerse del sentimiento. No tuvo suerte. Siguiendo las instrucciones del GPS de su teléfono celular, giró hacia la calle Gunther.

—¿Qué es una subasta de almacenamiento, de todos modos? —La pregunta de Matt Peterson interrumpió los pensamientos de Steve.

—Es cuando los lugares de almacenamiento toman pertenencias que han sido abandonadas allí y las ponen a la venta. A veces subastan unidades de almacenamiento enteras, pero esta vez sacan las cosas y las subastan individualmente.

Matt sacó la botella de agua de su funda y abrió la tapa, casi perdiendo el control de su bicicleta. —Y vamos, ¿por qué?

Steve bajó la velocidad para buscar la dirección. —La gente guarda cosas porque piensan que son importantes y no quieren tirarlas. Tal vez encontremos algo genial para comprar.

De ninguna manera le estaba diciendo la verdad. *En realidad, Matt, la verdadera razón por la que vamos es porque tengo la sensación de que algo allí quiere que lo compre.* Matt lo golpearía.

Su amigo murmuró algo en voz baja mientras guardaba su botella de agua.

—Aw, vamos. Será divertido —dijo Steve, notando la falta de entusiasmo de su amigo. Giró su bicicleta hacia la puerta de la instalación de almacenamiento. —Además, todavía me debes por ese rally de camiones monstruo al que me hiciste ir.

Matt gruñó pero lo siguió al interior.Alrededor de un centenar de personas habían acudido y todos estaban caminando mirando todo para ofertar. La mayoría de los artículos eran muebles, pero había algunas cajas de ropa y cosas al azar.

Matt levantó un sistema original de Nintendo. —Guau. Creo que mi papá todavía tiene esta cosa conectada a la televisión en su habitación. Todavía se hace llamar el rey de los hermanos Super Mario.

Steve se rió por un momento y luego suspiró. La extraña sensación se hizo más fuerte a medida que caminaban.

Un hombre corpulento con una barba gris rala subió al escenario y tocó el micrófono.

—Disculpen, amigos, pero estamos listos, así que si pudieran tomar asiento, comenzaremos.

Los dos muchachos siguieron a la multitud hasta las sillas blancas de plástico frente al escenario y encontraron asientos cerca de la parte de atrás. Matt sacó una bolsa de mezcla de frutos secos de su bolsillo.

Artículo tras artículo, el subastador vendió las piezas de almacenamiento abandonadas. Steve se divirtió con todas las personas que ofertaron por cosas. Cada mueble tenía al menos seis o siete ofertas antes de que finalmente se vendiera. Algún día, cuando comprara una casa, definitivamente vendría a buscar los muebles.

Matt, sin embargo, parecía aburrido. Y con calor.

—Steve —suplicó y se abanicó con un volante—, ¿podemos irnos ahora? Hay como ciento ochenta grados aquí afuera.

—Aún no. Quiero ... espera. Eso es interesante.

El asistente del subastador llevó una pequeña maleta negra al escenario. El frente tenía un gran cráneo plateado y espadas cruzadas en relieve.

La sensación dentro de Steve se hizo más fuerte. Había algo en esa maleta. Algo especial. —¿Por qué alguien abandonaría una maleta en un almacén?

Matt se encogió de hombros. —Tal vez ya no la necesitaba. Tal vez está rota. O tal vez la dejó

3

aquí porque está fuera surfeando las olas del océano porque hace demasiado calor para estar sentado en una silla de plástico en una subasta de almacenamiento en Beachdale, California.

—A continuación, damas y caballeros, tenemos una buena maleta aquí. —El subastador rodó la maleta para mostrar el frente y la espalda—. Buen estado. Sin rasgaduras. Parece que la cerradura todavía está en ella. Quizás haya algo realmente valioso dentro. ¿Qué obtendré por esta bolsa misteriosa?

Silencio.

—Vengan, amigos, seguramente uno de ustedes está planeando un viaje. Una maleta adicional puede ser realmente útil.

Nada. Ni una sola oferta. El subastador parecía molesto.

Steve miró la maleta, completamente hipnotizado. La calavera parecía sonreírle. Levantó la mano. —¡Un dólar!

Matt se volvió hacia su amigo, con una expresión de sorpresa en su rostro. —¿Estás loco?

—¡Un dólar! —gritó el subastador—. ¿Escucho dos dólares? ¿Dos dólares por esta maleta?

Silencio.

—Vendido al joven en la parte de atrás por un dólar. —Obviamente, no queriendo perder más tiempo, le indicó a su asistente que retirara la maleta y trajera algo más valioso al escenario.

—Ven. —Steve se levantó, sus ojos oscuros llenos de emoción. La idea de comprar una bolsa misteriosa llena de cosas misteriosas dejadas por una persona misteriosa lo emocionó—. Vamos a pagar por ella.

Matt sacudió la cabeza mientras se levantaba.

—Eres un loco, Steve Kemp. ¿Por qué comprarías una maleta de alguien que ni siquiera conoces?

Steve no se molestó en responder, sabiendo que su amigo ya sabía la respuesta. La curiosidad a menudo lo vencía. Considerado un nerd por algunos, fue el único alumno de sexto grado en la Escuela Intermedia de Beachdale que fue miembro de la Sociedad Nacional de Honor Junior, el Club de Ajedrez y la Unión de Estudiantes Negros.

Sonriendo, sacó un dólar de su bolsillo y caminó hacia el mostrador. —La maleta es mía.

La anciana de cabello gris detrás del registro sonrió mientras tomaba el dólar y le entregaba a Steve la maleta.

Trazando el cráneo plateado con su dedo índice, se quedó perdido en sus pensamientos. Algo era especial acerca de esta maleta.

—En serio —interrumpió la voz de Matt—, ¿qué vas a hacer con esa cosa?

Steve levantó su compra y la colocó en el suelo. —Se siente bastante pesada. Obviamente hay cosas adentro. ¿No crees que será un poco divertido...

Una conmoción en el escenario delantero lo distrajo. Un hombre alto y delgado con un traje gris claro estaba discutiendo con el subastador. Los dos hombres miraron a su alrededor y el subastador señaló a Steve.

El extraño asintió y corrió hacia Steve. —Disculpa, muchacho. —Habló con acento británico—. Llegué demasiado tarde para hacer una oferta, pero me gustaría comprar esa maleta.

Steve sacudió la cabeza. —Lo siento, señor. No está a la venta.

El hombre sacó un rollo de dinero de su bolsillo. —Te daré veinticinco dólares.

Los ojos de Matt se agrandaron. —¡Veinticinco dólares!

Steve miró el dinero. Presentía que algo andaba mal. ¿Quién llevaba un rollo de dinero en el bolsillo hoy en día? —Lo siento —dijo de nuevo—. No estoy interesado en venderla.

—Muy bien. —El hombre separó más dinero del rollo—. Te daré cincuenta dólares. Esa es una gran ganancia para tu compra de *un dólar.*

Steve miró al británico con cuidado. Su traje parecía impecable, probablemente caro, y el anillo de oro que llevaba contenía múltiples diamantes. El dinero obviamente no era un objeto. —¿Por qué está tan interesado en esta maleta?

—Pertenecía a un querido amigo mío. Lamentablemente, el viejo falleció hace un par de

6

meses. Solo quiero tener todas las posesiones suyas que pueda obtener.

Había una genuina mirada de tristeza en su rostro. O decía la verdad, o era un buen mentiroso.

Matt levantó la mano. —Sostenga ese pensamiento. Déjeme hablar con mi amigo por un minuto. —Agarró a Steve por la camisa y tiró de él hacia un lado—. ¿Que pasa contigo? El hombre te dará cincuenta dólares por esa estupidez.

—¿No te preguntas qué hay aquí por lo que está dispuesto a pagar tanto dinero?

Matt puso los ojos en blanco. —Son las cosas de su amigo. Toma el dinero.

Steve se dio la vuelta. —Déjeme su nombre y número y, si cambio de opinión, le llamaré.

Los ojos del hombre se entrecerraron mientras miraba a Steve, luego una lenta sonrisa se extendió por su rostro. —Muy bien. —Se guardó el rollo de dinero en el bolsillo y sacó una tarjeta de presentación—. Pareces un joven inteligente; estoy seguro de que harás lo correcto.

Steve estudió la simple tarjeta blanca después de que el hombre se fuera. En letras negras, la tarjeta decía: —Alex Franklin, Joyero y un número de teléfono. Se guardó la tarjeta en el bolsillo de sus pantalones.

Los muchachos caminaron hacia sus bicicletas. —Estás completamente loco —dijo Matt mientras se quitaba un mechón de cabello castaño de los ojos. Se subió a su bicicleta y levantó el pie de apoyo.

En ese momento sonó una bocina y una gran camioneta roja se detuvo junto a la acera.

—¡Hola, muchachos! —Jenny Reed saltó del asiento del pasajero y corrió hacia ellos—. ¿Quieren ir a la playa? Mi papá dijo que nos llevaría. —Jenny era la mejor amiga de Matt desde preescolar.

Matt inmediatamente saltó de su bicicleta. —Eh, sin duda.

—Bueno, bueno, bueno —una voz familiar sonó en el aire.

Cassie y su hermano gemelo estacionaron sus ciclomotores junto a la acera frente al camión rojo.

—Mira, querido hermano —señaló a la maleta de Steve—, parece que nuestros amigos han decidido huir de la ciudad. ¿Fue algo que dijimos?

—Más bien algo que poseemos —dijo Ben y los hermanos se rieron.

Matt fulminó con la mirada a los gemelos. Cassie y Ben Baker eran los niños más presumidos de la ciudad. Su padre era dueño del banco local y malcriaba a sus hijos.

Jenny le dio la espalda a los gemelos. —De todos modos, se supone que habrá grandes olas en la playa y alguna banda local hará un concierto gratuito esta tarde.

—¿Escuchaste eso? —Cassie le preguntó a su hermano.

—Sí. ¿Crees que deberíamos decirles cómo nuestro club de playa tiene bandas en vivo todos los días?

—En realidad, Jenny —dijo Steve rápidamente, notando que su rostro comenzaba a volverse de un color púrpura brillante—, estábamos pensando en ir a casa para ver qué hay dentro de esta cosa.

—Tal vez está llena de dinero —dijo Ben.

—Entonces tal vez puedan comprarse un juego de ruedas decente. —Cassie se rió y los dos ciclomotores salieron corriendo.

Matt apretó los puños. —Caramba, realmente no puedo soportar a esos dos.

Jenny respiró hondo y soltó el aire lentamente. —Tú y yo los dos. ¿Y qué hay de la playa?

—Estoy dentro. —Matt rodó su bicicleta hacia la parte trasera del camión.

Steve vaciló. Realmente quería saber qué había dentro de la maleta.

—¿Qué pasa? —preguntó Jenny.

Matt sacudió la cabeza. —Está loco. Vamos, amigo. Podemos mirar dentro de esa estúpida cosa más tarde. Además, necesitarás unos alicates fuertes para romper esa cerradura. Apuesto a que el padre de Jenny te dejará pedir prestado. Pero ahora, ¡es hora de ir a la playa!

Steve se limpió el sudor de la frente. Dudó un momento más, luego asintió. Aunque la curiosidad lo corroía, era un día inusualmente caluroso en el norte de California y refrescarse en el océano sonaba fantástico.

Los dos muchachos pusieron sus bicicletas en la parte trasera de la camioneta, luego Steve dejó su compra entre ellas.

¿Qué pasa con la maleta, de todos modos? —preguntó Jenny.

Matt suspiró. —Es una larga historia. Te la contaré en el camino.

Mientras Matt luchaba por subir al pequeño asiento trasero de la camioneta, Steve miró a su alrededor. Justo dentro de la puerta de la instalación de almacenamiento, tres hombres estaban hablando. Uno de ellos era el misterioso Alex Franklin, sosteniendo un teléfono celular. Parecía que estaba tomando una foto.

—Vamos, amigo —la voz de Matt retumbó.

Steve se subió a la camioneta y se marcharon.

El día en la playa fue estimulante, y a las cinco en punto, el padre de Jenny dejó a los tres niños en la casa de Steve. Entraron corriendo a la sala de estar, donde Steve dejó la maleta en el medio del piso.

—Ahora, veamos por qué el Sr. Alex Franklin estaba dispuesto a pagar cincuenta dólares. —Utilizó unos alicates prestados por el padre de Jenny para cortar la cerradura pequeña.

Matt agarró una manzana roja del frutero antes de sentarse en el suelo. —Todavía no puedo creer que no tomaste el dinero. —Dio un mordisco y el jugo goteó por toda su camisa.

Jenny se sentó en el suelo frente a Steve. —Ignora a Matt. Hiciste totalmente lo correcto. —Ella hizo rodar su largo cabello rubio en un moño—. Quizás haya algo realmente valioso dentro.

Matt gimió mientras intentaba limpiar el jugo de su camisa. —Estás tan loca como él.

Steve abrió la maleta y levantó la tapa. Con cuidado, sacó la ropa, un artículo a la vez. Había varias camisetas, un par de pantalones y un par de jeans azules desteñidos. Revisó cuidadosamente cada bolsillo para no perderse nada.

—¡Espera! —Matt se levantó y agarró los pantalones—. ¡Estos jeans! Creo que pertenecían a Elvis. ¡Valen cien millones de dólares! —Se rió cuando Steve se los arrebató y los dejó en el suelo.

—¿Es todo? —preguntó Jenny mientras miraba dentro de la bolsa vacía.

Steve pasó la mano por el interior de la maleta. No habia nada mas. —No lo entiendo. —Frunció el ceño—. ¿Por qué alguien estaría dispuesto a pagar cincuenta dólares por esto?

Matt volvió a sentarse y le dio otro mordisco a su manzana. —Tal vez es justo lo que dijo el tipo. Su amigo murió y él quería conseguir sus cosas. —En ese momento, sonó su teléfono celular. Mientras hablaba con su madre, Steve y Jenny revisaron la maleta y la ropa una vez más.

Se guardó el celular en el bolsillo y se levantó.

—Mamá me quiere en casa para cenar.

—Probablemente debería irme también —dijo Jenny.

Matt arrojó su corazón de manzana a la basura de la cocina. —Perdón por la maleta, amigo. Quizás deberías llamar a Alex Franklin y vendérsela.

Steve acompañó a sus amigos hasta la puerta y se despidió. Llevó la maleta y su contenido arriba a su habitación, extendió todo sobre su cama y lo miró. El extraño sentimiento regresó. Algo frente a él tenía que ser importante. Algo valía cincuenta dólares. Examinó cada pieza de ropa nuevamente, pero no encontró nada.

Dirigiendo su atención a la maleta en sí, abrió cada cremallera y pasó la mano dentro. Aún nada. Frustrado, apartó la maleta, pero cayó al suelo, aterrizando sobre el cable de la lámpara de la mesita de noche. La fuerza del aterrizaje hizo que su lámpara se cayera de la mesa y se metiera en la maleta. Steve se encogió, cerrando los ojos con fuerza, esperando que la lámpara no estuviera rota.

Lentamente abriendo los ojos, miró hacia abajo y la vio de una pieza. Soltó un suspiro de alivio y se inclinó para recoger la lámpara. Entonces algo llamó su atención ... un hilo suelto que colgaba del forro. Devolvió la lámpara a su cómoda y sostuvo la maleta vacía cerca de su cara. El hilo colgante era de un color diferente al del resto.

Tiró de él, pero estaba atascado. Sacó su navaja de bolsillo y usó una de las cuchillas para cortar el hilo del forro. Cuidadosamente, metió la mano dentro y sacó dos hojas de papel. Alguien las había cosido dentro del forro para ocultarlas.

La emoción lo inundó. Steve desdobló el primer papel misterioso. Resultó ser un mapa de California con un lugar llamado Grim Reaper's Mine, justo al norte de Beachdale, encerrado con un bolígrafo rojo. El otro papel se sentía frágil, como si fuera muy viejo. Lo desdobló cuidadosamente, notando que estaba rasgado. Lo único escrito en el papel era un poema.

Sacó su teléfono celular y les envió a Matt y a Jenny un mensaje de texto diciéndoles que se reunieran con él en el restaurante de Tyrone a las ocho en punto. Luego, fue a su computadora, escaneó el poema e imprimió varias copias. De una forma u otra, iba a descubrir el misterio detrás de los papeles ocultos.

CAPÍTULO 2
EL POEMA MISTERIOSO

Tyrone's era un popular restaurante local con recuerdos deportivos en todas las paredes. El dueño del restaurante, Tyrone Washington, también conocido como *el rayo negro*, fue un jugador estrella de fútbol americano universitario hace unos años, y una buena fuente de información sobre todo lo que sucede en la ciudad. Él fue quien le contó a Steve sobre la subasta de almacenamiento.

Jenny fue la última en llegar a la hora señalada.

—Lo siento, llego tarde. —Se acurrucó en la mesa al lado de Matt—. Mi papá necesitaba ayuda con algo y tardó más de lo que pensaba.

Steve asintió con la cabeza. El padre de Jenny era dueño de un taller de reparaciones, y Jenny, que era excelente para arreglar las cosas ella misma, a menudo lo ayudaba.

Se quitó la chaqueta ligera y la arrojó sobre el asiento frente a ella. —¿Que está pasando?

—Exactamente —agregó Matt y tomó un sorbo de su batido de chocolate—, tu mensaje dice que encontraste algo en la maleta.

Steve sacó copias del poema y se las entregó a sus amigos.

Jenny miró el poema. —¿Qué es esto?

—Amigo, *por favor* dime que no es tarea para una loca clase de escuela de verano en la que nos inscribiste. —Matt parecía preocupado.

Steve se rió y contó cómo había descubierto los misteriosos papeles en la maleta.

Jenny se inclinó hacia delante. —¿Crees que esto es lo que buscaba ese británico?

—No sé —admitió Steve—. Pero quien poseía la maleta no quería que la gente encontrara esto.

—¿Pero por qué? —preguntó Matt mientras intentaba limpiar una gota de batido derramado de su camisa con una servilleta—. Es solo un poema.

Steve se encogió de hombros y leyó el poema en voz alta.

Once you arrive, seek out the Twins,
inside his head, the journey begins.

Behind the I reveals the path,
beware the secrets of Satan's wrath.

The hasty become holey, only humble men survive.

To face the final battle, one must jump five.

*Young David knew the secret to end the giant's
bliss,*
follow in his footsteps to conquer the abyss.

The saint arrives at Heaven's gate,
choose the path wisely and so seal your fate.

He holds your destiny within his heart,
once taken from place hastily depart.

*From her depths you emerge, to your heart
keep it close,*
for the evil do covet El Alma de Dios.

Matt lo miró fijamente. —Eh, en *español*, por
favor, amigo?

Steve rio. —Pierde la rima en la traducción,
pero aquí va, gracias a Google Translate.

Una vez que llegues, busca a los gemelos,
dentro de la cabeza de él, comienza el viaje.

Detrás del yo revela el camino,
cuidado con los secretos de la ira de Satanás.

Los apresurados se convierten en agujeros,
solo los hombres humildes sobreviven.

Para enfrentar la batalla final, uno debe saltar cinco.

El joven David sabía el secreto para acabar con la felicidad del gigante,
sigue sus pasos para conquistar el abismo.

El santo llega a la puerta del cielo,
elige el camino sabiamente y así sella tu destino.

Él tiene tu destino dentro de su corazón,
Una vez sacado de su lugar, apresúrate a partir.

De las profundidades de ella emerges, a tu corazón mantenlo cerca,
porque los malvados codician El Alma de Dios

—¡Caramba! —Matt se rascó la cabeza—. ¿Qué significa eso?

Steve se mordió el labio al pensar. —Me pregunto si el poema está en código. ¿Qué piensan ustedes?

—¿Quieres decir que está tratando de decirnos algo? —preguntó Jenny.

—Sí —respondió—, pero...

Matt sorbió el último batido del fondo del vaso. —¿Pero...qué?

—Pero…no tenemos todo el poema.

—¿Qué quieres decir? —preguntó Matt.

Steve sacó el poema original de su mochila y lo colocó cuidadosamente sobre la mesa entre ellos.

Jenny tocó el papel frágil con cuidado. —Está rasgado.

—Sí. —Steve suspiró—. Así estaba en la maleta.

—Entonces, si el poema está tratando de decirnos algo —dijo Matt—, y no tenemos la primera parte, ¿cómo se supone que debemos descifrar el mensaje?

En ese momento, Tyrone se sentó en la mesa al lado de Steve. —¿Y cómo están mis tres niños favoritos esta noche?

—Confundido. —Matt gruñó y jugó con la pajita en su vaso vacío.

—Tal vez esto ayude. —Tyrone deslizó un vaso plateado lleno de batido junto a Matt.

Una amplia sonrisa se extendió sobre la cara de Matt.

Steve le entregó una copia del poema a Tyrone. —¿Alguna idea de qué es esto?

Lo miró y sacudió la cabeza. —Lo siento, chico. La poesía nunca fue realmente lo mío. ¿De qué se trata todo esto?

Los tres amigos relataron todo lo que pasó, incluida la generosa oferta del peculiar Alex Franklin.

—Déjame ver la tarjeta de ese tipo —dijo Tyrone.

Steve sacó la tarjeta del joyero de su bolsillo y se la entregó.

El dueño del restaurante la estudió por un momento y frunció el ceño. —Nunca he oído hablar de él, pero lo comprobaré. Miraré qué rumores hay en la ciudad sobre él.

—Gracias —dijo Steve.

Él asintió y se fue para ayudar a un cliente.

Steve dobló suavemente el poema original, lo guardó en su mochila y sacó el mapa de California. —¿Qué piensan ustedes de esto? —Lo puso sobre la mesa entre ellos.

Matt lo deslizó más cerca de él. —La mina de Grim Reaper. —Señaló al punto marcado en el mapa. Miró a Steve—. Eso no está muy lejos de la ciudad.

—¿Qué saben ustedes al respecto?

—Solía ser una mina de oro, creo, en los días de la fiebre del oro —respondió Matt.

Jenny recogió el mapa para mirarlo más de cerca. —Un tipo la compró hace unos años y encontró seis esqueletos adentro. La policía supuso que todos seis habían muerto explorando el viejo pozo.

Matt se recostó. —Entonces, el tipo hizo copias de los seis cráneos y las colgó fuera de la mina para advertir a la gente que se mantuviera alejada.

Jenny dobló el mapa y se lo devolvió a Steve. —Es un poco espeluznante, en realidad. Esas calaveras se parecen demasiado a las cabezas de personas reales, no a las falsas que compras en Halloween.

Steve miró el mapa, sumido en sus pensamientos. —¿Por qué la persona propietaria de la maleta estaría tan interesada en la mina de Grim Reaper?

Matt vertió el batido extra que Tyrone había traído a su vaso. —Tal vez pensó que todavía hay oro allí.

Jenny asintió con la cabeza. —Y quizás el británico de la subasta también lo piense, y por eso estaba dispuesto a pagar cincuenta dólares por la maleta.

El celular de Steve sonó. Revisó el mensaje de texto y asintió. —¿Están ocupados mañana por la mañana?

—Estoy libre —dijo Jenny mientras robaba el batido de Matt.

—Yo también. —Matt intentó tomar su bebida de vuelta—. Mientras no sea otra subasta.

Jenny apartó su mano y le dio la espalda para poder devorar el batido.

—Encuéntrenme en mi casa a las diez en punto. —Steve devolvió el mapa a su mochila—. Vamos a llegar al fondo de este misterio de una vez por todas.

Steve miró el misterioso poema y frunció el ceño. Eran las once en punto y había estado en su cama durante la última hora mirando los versos, tratando de descifrarlos. No podía explicarlo, pero sabía que el poema intentaba decirle algo. A las once y media, dobló el poema y lo puso en su mochila en el piso al lado de su cama, luego apagó la luz para dormir.

De repente, sintió que su corazón casi se detenía. Alguien le estaba susurrando. Sus ojos se abrieron de golpe. —¿Quién está ahí? —preguntó.

Saltando, encendió la luz. El cuarto estaba vacío. Volvió a escuchar el misterioso susurro, pero la habitación estaba completamente en silencio. Varias respiraciones profundas más tarde, su ritmo cardíaco finalmente comenzó a calmarse. Cuando extendió la mano para apagar la lámpara, se congeló. El poema yacía en su mesita de noche, abierto.

CAPÍTULO 3
UN MAPA DEL TESORO

Steve estaba esperando en su bicicleta cuando Matt y Jenny llegaron a su casa a la mañana siguiente. El sol brillaba en el cielo, pero la temperatura se sentía significativamente más fresca que el día anterior. El cambio drástico en la temperatura era típico para los días de verano en Beachdale.

—¿A dónde vamos? —preguntó Matt mientras pedaleaban fuera del camino de entrada.

Steve giró su bicicleta por una calle lateral. —A *la fuente*.

—Ooh. —Los ojos azules de Jenny brillaron—. Vamos a la casa de *Alysha*. ¿Deberíamos parar en algún lugar y recoger algunas flores, o ya está eso arreglado?

Steve lanzó a Jenny una mirada malvada y ella se echó a reír. Era de conocimiento común para todos en la escuela que a Alysha Stonestreet le gustaba Steve.

Jenny detuvo su bicicleta y comenzó a buscar frenéticamente en sus bolsillos. —¡Esperen!

—¿Qué pasó? —preguntó Matt, deslizándose hasta detenerse.

Ella se veía angustiada. —Olvidé mi celular. Lo estaba cargando esta mañana y lo dejé en casa.

—Está bien —dijo Steve—. Tengo el mío si necesitas usarlo. Probablemente no estaremos en casa de Alysha por mucho tiempo de todas formas.

—Bueno. —Una pizca de tristeza permaneció en su voz. Ella vivía en su teléfono.

Al llegar a la casa de su amiga, el trío subió a la gran puerta de madera y tocaron el timbre. La señora Stonestreet, una mujer pequeña de unos cuarenta años, saludó al trío y los invitó a entrar. Los ojos verdes de Alysha se iluminaron cuando vio a Steve. Dirigió su silla de ruedas a la sala de estar para recibir a sus amigos.

—¿Qué pasa, chicos? —preguntó después de intercambiar saludos.

—Necesitamos tu ayuda. —Steve explicó todo lo que había sucedido hasta ahora.

Alysha frunció el ceño. —Déjame ver el poema.

Steve sacó una copia de su mochila y se la entregó.

La muchacha entró al estudio para encender la computadora. —Veamos qué podemos encontrar al respecto.

Alysha era un genio en Internet. Steve sabía que si alguien podía resolver el misterio del poema, era ella. Después de unos minutos, giró su silla de ruedas para enfrentar al trío. —Bueno, su poema se llama *El Alma de Dios* y fue escrito hace trescientos años por un pirata llamado Elias Darby.

—¿Un pirata poeta? —comentó Jenny—. Que bueno.

—¿*El Alma de Dios*? —Matt metió la mano en el plato de caramelos y sacó los M&M verdes—. ¿Entonces el pirata era español?

—No el pirata —respondió Alysha—, el Zafiro Mágico.

—¿Eh?

¿Qué Zafiro Mágico? —preguntó Jenny.

—Según la leyenda, el Zafiro Mágico debe otorgarle poderes mágicos a quien lo posee.

Jenny agarró unas pasas cubiertas de chocolate del tazón de caramelos. —¿Qué tipo de poderes mágicos?

Alysha se encogió de hombros. —No estoy segura. Un par de sitios dijeron que otorga deseos mágicos. Otros dijeron que le da al dueño un poder imparable.

Matt lanzó un M&M al aire y lo atrapó en su boca. —Seguro que me gustaría tener una roca mágica como esa.

—Por favor, crece —regañó Steve—. La verdadera magia no existe.

—¿Cómo lo sabes?

—Alysha —dijo Steve, ignorando a Matt—, ¿qué tiene que ver este Zafiro Mágico con el poema?

—Según las historias, Elias Darby siempre llevaba la piedra alrededor del cuello y nadie podía atraparlo. Incluso cuando una tormenta terrible destruyó su barco y toda la tripulación se ahogó, él sobrevivió. —Alysha cogió su agua embotellada y tomó un trago—. Cuando Darby envejeció, pensó que su estilo de vida lo mantendría fuera del cielo, por lo que renunció a todo su tesoro y dedicó su vida a Dios. Lo único que mantuvo fue el zafiro, creyendo que su poder mágico realmente era *el alma de Dios.*

Jenny sonrió. —Entonces, se convirtió en un poeta sacerdote pirata. Más bueno.

—En los últimos años de su vida, Darby temía que cuando muriera, el Zafiro Mágico terminaría en manos de alguien muy codicioso, entonces escondió la piedra, dejando solo un poema llamado *El Alma de Dios* como un mapa para su ubicación. Darby solo quería que una buena persona encontrara la piedra.

—Entonces el poema está en código —dijo Jenny—. Teníamos razón.

Steve levantó el poema triunfante. —Es más que un simple código, ¡es un mapa del tesoro!

—¿Un mapa del tesoro? —repitió Matt.

—Steve tiene razón. —Alysha buscó en el plato de caramelos un beso de Hershey—. Ese poema debería llevarlos al Zafiro Mágico.

—No es de extrañar que el británico estuviera dispuesto a pagar cincuenta dólares por la maleta —dijo Jenny—. Está detrás del tesoro.

Steve frunció los labios. —Sí. Que lástima que él no tenga el mapa.

—Oh, no, amigo —dijo Matt—. ¿Por favor dime que no estás pensando seriamente en ir tras este tesoro?

—Piénsalo —dijo Steve, la emoción en su voz aumentaba—. Sería una búsqueda del tesoro de verdad.

—Pero, ¿y si ese tipo Alex Franklin decide ir tras él también? —advirtió Matt—. No sabemos nada de él. Podría ser un asesino loco y psicópata, que persigue a las personas que se interponen en su camino y las convierte en carne de hamburguesa para sus perros.

—Quizás. —Steve sonrió radiante—. Pero *él* no tiene el mapa. Nosotros sí.

—Estoy dentro —dijo Jenny—. Pero, ¿por dónde empezamos a buscar? Todavía nos falta la primera parte del poema.

Steve sacó el mapa del norte de California que había encontrado en la maleta.

—¡Por supuesto! —Jenny aplaudió—. La mina de Grim Reaper.

Steve se puso de pie. —Vamonos a casa y agarremos nuestras mochilas misteriosas. Traigan un almuerzo y mucha agua.

Matt suspiró dramáticamente y tomó unos cuantos M&M más para el camino. Los tres amigos le agradecieron a Alysha por su ayuda y se despidieron, prometiéndole llamarla más tarde.

—Ay ay ay —dijo Jenny mientras caminaban hacia sus bicicletas—. Eso no se ve bien.

En la distancia, nubes grises oscuras se movían rápidamente hacia el pequeño pueblo de Beachdale.

Steve pateó una piedra con frustración. —¡Vaya! Esa tormenta lo está arruinando todo.

Matt levantó el pie de apoyo de su bicicleta. —Está bien, amigo. Podemos ir mañana. Ese tesoro ha estado oculto por trescientos años. Estoy seguro de que puede esperar un día más. —Se sentó en su bicicleta, sonriendo—. Además, eso me dará un día entero para tratar de disuadirte de esta locura.

—Ni hablar —dijo Steve—. Planean estar en mi casa a las siete de la mañana. ¡Tenemos un tesoro para encontrar!

Los tres amigos se separaron y cada uno se dirigió a casa. Steve llegó casi al mismo tiempo que su madre. Estaba ayudando a desempacar los comestibles cuando sonó su teléfono celular.

¿Qué pasa, Jenn? —respondió.

—Necesitas venir aquí ahora mismo. ¡Creo que alguien ha estado en mi casa!

Las cejas de Steve se alzaron sorprendidas.
—¿Qué? ¿Te robaron?

—No. No veo que falte nada. Pero estoy segura de que alguien ha estado aquí. ¿Puedes por favor venir? Matt ya está en camino.

—Estaré allí en quince.

Steve colgó el teléfono celular y frunció el ceño. Jenny tenía una imaginación hiperactiva, pero parecía realmente nerviosa. Rápidamente terminó de ayudar a su madre, luego montó su bicicleta y pedaló lo más rápido que pudo hasta la casa de Jenny.

Matt estaba caminando hacia la puerta de entrada cuando Steve llegó. —¡Espera! —gritó mientras dejaba caer su bicicleta al suelo y se apresuraba a unirse a su amigo.

Jenny abrió la puerta y les indicó que entraran. —Gracias por venir.

—Dime otra vez lo que pasó —dijo Matt.

Ella respiró hondo. —Llegué a casa y supe que algo andaba mal. Miré a mi alrededor, pero todo parecía normal. Fue entonces cuando noté mi celular.

—¿Falta tu celular? —dijo Steve, sorprendido.

—No, está aquí. Pero se ha movido.

Matt parecía confundido. —¿Qué quieres decir?

Jenny los condujo a su habitación y les mostró el teléfono celular sentado en su tocador, todavía cargando. Ella apuntó. —¿Ven? Nunca dejo mi celular así. Alguien lo movió.

—¿Para eso nos llamaste aquí? —Matt sonaba molesto—. Porque tu teléfono ha sido movido? ¿En serio? Tu papá probablemente lo movió.

—No, no, no, no, no. —Jenny sacudió la cabeza—. Mi papá no ha vuelto desde que se fue a trabajar. Llamé y pregunté.

—Tal vez lo moviste antes de que te fueras —sugirió Steve—. O tal vez tuvimos un temblor, y movió un poco tu teléfono.

Jenny se cruzó de brazos. —Te digo que alguien estuvo aquí. No estoy inventando esto.

—Está bien —dijo Steve con calma—. Entonces, lo primero que debemos hacer es mirar alrededor de la casa y ver si algo más ha sido molestado.

Los tres amigos registraron la casa con cuidado, pero no pudieron encontrar otra evidencia de un intruso.

Matt agarró unas uvas del frutero. —Lo siento, Jenn. Simplemente no sé por qué alguien irrumpiría en tu casa para mirar tu teléfono.

—Parece bastante raro —coincidió Steve—. Pero cosas más extrañas han sucedido. Mantén los ojos abiertos y haznos saber si encuentras algo más extraño.

—Cierto. Gracias por venir.

Justo entonces, un fuerte trueno resonó afuera.

Matt miró por la ventana hacia las nubes oscuras e inminentes. —Probablemente deberíamos llegar a casa antes de que empiece a llover.

Los dos muchachos revisaron todas las ventanas y puertas para asegurarse de que estaban cerradas, luego pedalearon rápidamente a casa.

La lluvia cayó el resto de la tarde, luego disminuyó gradualmente en la noche. Después de la cena, Steve preparó su misteriosa mochila para la aventura del día siguiente.

Hace varios meses, los tres amigos habían decidido formar un club de detectives y crearon sus *mochilas misteriosas* para llevarlas siempre que resolvieran misterios. Por supuesto, lo más emocionante hasta ahora fue la desaparición del gato de la señora Johnson, pero la linterna en sus mochilas había sido útil esa vez.

Sonó el celular de Steve. Miró el nombre antes de responder. —Hola, Tyrone. —Puso la linterna en la mochila—. ¿Qué pasa?

—Problemas, eso es lo que.

—¿Qué quiere decir? ¿Qué pasó?

—Investigué sobre ese joyero, Alex Franklin. Resulta que ese no es su nombre. Su verdadero nombre es Frank Alexander y es un gran ladrón de joyas de Inglaterra. Se hospeda en el Sleepers Inn en la calle First.

—Ladrón de joyas —repitió Steve—. Eso explica por qué busca el poema.

—Mira, chico, no sé en qué se metieron ustedes, pero deben tener muchísimo cuidado con esto.

—Lo haremos. Gracias.

—Todo bien. Mantenme informado.

Steve cerró su celular y miró al techo. Si el ladrón Frank Alexander buscaba el Zafiro Mágico, entonces podría ser muy peligroso. Y si él supiera sobre la mina de Grim Reaper, entonces todos podrían estar en peligro mañana. De alguna manera, Steve tenía que averiguar cuánto sabía el ladrón sobre el zafiro antes de emprender su búsqueda del tesoro.

Levantó el teléfono de la casa para llamar a Matt y Jenny en una llamada tripartita. Ambos respondieron y él compartió la nueva información sobre Frank Alexander.

—¿Ves? —dijo Matt—. Razón de más para no ir a esta ridícula búsqueda del tesoro mañana.

—¿De verdad crees que él sabe sobre la mina de Grim Reaper? —preguntó Jenny.

Steve frunció el ceño. —No estoy seguro, pero planeo averiguarlo.

—¿Cómo? —exigió Matt.

—Voy al Sleepers Inn.

—¿Estás loco? —La voz de Matt se elevó—. El hombre es un ladrón de joyas internacional. ¿Qué vas a hacer, caminar hacia él y decirle *amigo, estás buscando tesoros escondidos*?

—No exactamente —dijo Steve—. Pero tengo un plan. Únanse a mi en el Burger Shak en media hora.

—Eso está enfrente del Sleepers Inn, ¿no? —preguntó Jenny.

—Sí.

—Ay Dios mío —dijo Matt—. ¿Este plan implica algún tipo de peligro? ¿Debería dejar una nota de despedida para mis padres y hacer un testamento?

Steve rio. —No nada de eso. Pero, es posible que querrás traer un par de dólares contigo. Escuché que Burger Shak tiene papas fritas increíbles.

Hubo silencio durante unos dos segundos.

—Está bien —dijo Matt—. Estoy dentro.

—Los veo en media hora.

CAPÍTULO 4
¡ATRAPADOS!

Steve entró rodando la maleta detrás de él. Jenny se sentó en una mesa de esquina con Matt, que comía un gran pedido de papas fritas sentado frente a él.

Matt señaló al equipaje. —¿Qué pasa con la valija?

Steve se sentó al lado de Jenny. —Todo es parte del plan. —Robó una papa frita del plato de Matt.

—¿Cuál es exactamente el plan? —Jenny también robó una papa frita.

Steve se limpió las manos con una servilleta. —Frank Alexander está en la habitación ciento veintiuno en el piso inferior.

—¿Cómo lo descubriste? ¿O no quiero saberlo? —Matt se metió varias papas fritas en la boca.

—Pasé por el motel hace unos minutos y noté que el chico de recepción tenía una camiseta de los Dodgers. Llamé al motel desde mi celular y conseguí que el chico hablara de béisbol. Estaba todo distraído, así que cuando le pedí el número de habitación del señor Alexander, me lo dio y luego siguió hablando de los Dodgers.

—Vaya —comentó Jenny—. Eso fue bastante fácil.

Steve asintió, comiendo otra papa frita. —El resto del plan es igual de simple. Vamos a caminar hacia la habitación ciento veintiuno y tocamos. Si el Sr. Alexander abre la puerta, le diré que cambié de opinión acerca de venderle la maleta y entraremos a su habitación. Mientras él y yo estamos haciendo el trato, quiero que ustedes dos busquen alguna evidencia de que el Sr. Alexander está buscando el zafiro.

Jenny se acercó y tomó el refresco de Matt. —¿Qué tipo de evidencia?

Steve se encogió de hombros. —Mapas, tal vez. O papeles por ahí. Solo estamos tratando de averiguar si está investigando la mina de Grim Reaper o el Zafiro Mágico.

Matt agarró la botella de ketchup y vertió un charco en su plato. —¿Qué pasa si el Sr. Alexander no está allí?

—Entonces veremos si dejó las cortinas abiertas para que podamos echar un vistazo adentro. Al menos vale la pena intentarlo.

Todos estuvieron de acuerdo y después de que Matt terminó su comida, los tres detectives cruzaron la calle y caminaron hacia la habitación ciento veintiuno. Steve respiró hondo y tocó a la puerta. Nada. Esperó veinte segundos y luego tocó a la puerta más fuerte.

—No parece que esté aquí. —Matt parecía aliviado.

—Espera. —Jenny salió corriendo.

Los dos muchachos la vieron desaparecer a la vuelta de la esquina. —¿A dónde va? —preguntó Matt.

—Ni idea. —Steve tocó a la puerta por tercera vez.

Jenny pronto regresó con una ama de llaves que llevaba un montón de toallas. —Muchas gracias — dijo Jenny con una voz dulce e inocente—. Mamá estaría muy enojada si supiera que nos encerramos de nuevo. —Ella se rió. Jenny era una gran actriz.

La ama de llaves sonrió y abrió la puerta con su llave maestra.

Jenny tomó las toallas y luego le lanzó un beso. —Me salvó la vida.

Después de que la ama de llaves se fue, Jenny abrió la puerta. —Vamos. A ver que encontramos.

Entró en la habitación del motel seguida de cerca por Matt y Steve. La puerta se cerró automáticamente detrás de ellos.

—No puedo creer lo que estamos haciendo. —La voz de Matt sonaba nerviosa—. ¿No es esto como allanamiento de morada o algo así?

Jenny puso las toallas en la cama. —En realidad no forzamos nada. No todavía, de todos modos.

—Voy a la cárcel, sin lugar a duda. Mi madre me va a matar.

—Shh —susurró Steve—. Simplemente echaremos un vistazo rápido y saldremos de aquí antes de que el Sr. Alexander regrese.

Comenzaron a investigar la habitación. Parecía bastante vacía. No habia mapas ni documentos en ningún lado.

—No hay nada aquí —susurró Matt—. Vámonos.

De repente, la voz de un hombre sonó afuera. Los tres niños se congelaron. Era el señor Alexander. ¡Estaban atrapados!

—¡Escondámonos! —Steve susurró frenéticamente.

Matt corrió al baño y saltó en la bañadera cerrando la cortina de baño detrás de él. Jenny se retorció debajo de la cama mientras Steve levantaba su maleta y corría hacia el pequeño armario.

—No me importa lo que cueste —dijo el señor Alexander mientras entraba en la habitación. Siguió una larga pausa—. Oh, muy bien. —Obviamente estaba hablando por teléfono—. Te llamo más tarde.

Eso le dio a Steve una idea. Puso la maleta en el suelo y sacó su celular, poniéndolo en modo silencioso. Después de regañarse mentalmente por no haberlo silenciado antes de entrar en la habitación del hotel, metió la mano en el bolsillo trasero para buscar la tarjeta del ladrón de joyas. La sacó, pero justo cuando se estaba preparando para escribir un texto, la tarjeta se le escapó de las manos y cayó al suelo.

Se inclinó lentamente, tratando de no hacer ruido. Sus dedos buscaron la tarjeta. De repente, su maleta se volcó y cayó contra la pared, haciendo un ruido sordo.

Steve contuvo el aliento, esperando que el ladrón británico pensara que el sonido provenía de la habitación de al lado. Después de unos segundos de silencio, la televisión se encendió y Steve dejó escapar un suspiro de alivio.

Su mano finalmente encontró la tarjeta. Steve escribió un texto rápido.

¿TODAVÍA QUIERE LA MALETA? ENCUENTREME EN LA BIBLIOTECA EN 15 MINUTOS.

Diez segundos después, el teléfono del Sr. Alexander sonó. —Excelente —dijo el ladrón británico en voz alta.

Steve escuchó el sonido del teléfono del hotel al ser marcado.

—Carlos. Algo ha ocurrido. No hagas nada hasta que tengas noticias mías.

La televisión se quedó en silencio. Segundos después, la puerta de la habitación del motel se abrió y se cerró. Steve tensó los oídos y estaba seguro de haber escuchado el arranque de un automóvil. Esperó otro minuto y luego abrió lentamente la puerta del armario.

—Vamos, muchachos —susurró—. Vamonos de aquí.

Jenny y Matt estuvieron a su lado en un instante. Steve abrió la puerta principal y se asomó. No había señales de Frank Alexander.

Salieron de la habitación a toda prisa y cruzaron la calle.

Jenny recogió su bicicleta. —Eso fue una locura.

—Nunca, nunca me dejen hacer eso otra vez. —Matt se estremeció.

—¿A dónde crees que va? —preguntó Jenny—. Ese texto parecía bastante importante.

Steve enganchó la maleta a la parte trasera de su bicicleta. —Está en camino para encontrarse conmigo. Yo le envié ese mensaje de texto.

—¿Como? —dijo Matt.

—Le envié un mensaje y le dije que se encontrara conmigo en la biblioteca para comprar la maleta. Era la única forma que pensé para sacarlo de la habitación del motel.

Jenny aplaudió. —Buen plan. En realidad funcionó.

—Ahora necesito llegar a la biblioteca y terminar el trato.

—¿Estás loco? —dijo Matt—. El hombre es un ladrón de joyas internacional. Probablemente lleva una pistola, granadas y un machete.

Steve sacudió la cabeza. —En primer lugar, Matt, ¿quién lleva un machete? Y segundo, no tiene idea de que sabemos quién es. En tanto le concierne a él, no encontré nada emocionante en la maleta y decidí vendérsela después de todo.

—¿Qué pasa si él sabe sobre el mapa y el poema? —preguntó Jenny—. Se dará cuenta de que están desaparecidos.

Steve sonrió abiertamente. —No, no lo hará. Reemplacé el mapa y el poema por otros falsos. Incluso si intenta encontrar el zafiro, estará en una busqueda falsa. De esa manera mañana, podemos buscar el tesoro sin preocuparnos de encontrarnos con Frank Alexander.

Matt se quejó. —Sí, me siento mucho mejor dándole a un ladrón loco un falso mapa del tesoro. No me preocupa en absoluto.

Llegaron a la biblioteca en veinticinco minutos. El Sr. Alexander estaba esperando en los escalones de la entrada. Sonrió cuando el trío caminó hacia él.

—Estoy encantado de que hayas decidido aceptar mi oferta.

—Sí. —Steve intentó sonar decepcionado—. Realmente esperaba que hubiera algo genial adentro, pero resultó ser un montón de ropa. Y nada de eso me queda bien.

El Sr. Alexander se echó a reír, sacando su rollo de dinero. —Puede que no valga nada para ti, muchacho, pero el atuendo de mi amigo servirá como un dulce recordatorio de mejores tiempos. — Extendió cinco billetes de diez dólares.

Steve tomó el dinero, luego le pasó la maleta al ladrón británico. —Aquí la tiene, señor.

El señor Alexander recogió la valija. — Disfruten de su botín, niños. —Bajó las escaleras y la metió en el maletero de un sedán blanco.

Los tres niños vieron alejarse el auto.

Steve se volvió hacia sus amigos. —Vamos todos a casa para dormir bien por la noche. ¡Mañana vamos a buscar tesoros!

CAPÍTULO 5
DENTRO DE SU CABEZA

Steve miró por un momento el poema antes de ponerlo en su mochila, que yacía en el suelo junto a su cama. Puso la alarma a las seis, luego apagó las luces. Mañana era el día. Tenían que descubrir las pistas, encontrar el zafiro y regresar a la ciudad, todo sin toparse con Frank Alexander. Él sonrió. Con suerte, si el ladrón de joyas seguía las pistas en el mapa falso, el hombre estaría a medio camino de Disneylandia antes de que terminara el día.

De repente, lo escuchó de nuevo ... el susurro. Contuvo el aliento. El susurro parecía venir de todo alrededor, pero sonaba amortiguado. Lentamente levantó su mano para encender la lámpara, pero tan pronto como se encendió la luz, el susurro cesó. Steve miró a su alrededor. Estaba vacío, pero el poema sobresalía de su mochila.

—No más películas de terror para mí. —Se inclinó para empujar el poema dentro de su mochila

42

misteriosa, luego la cerró con fuerza. Después de recostarse en la cama, miró su bolsa por última vez y apagó la luz.

A la mañana siguiente, Steve bajó a desayunar a las seis y media. Sus padres parecían sorprendidos.

Su padre dejó el periódico. —Te levantaste muy temprano, ¿verdad?

—Matt, Jenn y yo vamos a explorar hoy. —Steve se sirvió un tazón de cereal.

—¿Explorar? —dijeron sus padres al unísono.

—Sí —dijo Steve mientras agregaba la leche—. Pensamos, ya que tenemos tiempo, subir a explorar algunas de las antiguas minas cercanas.

—Sé que te he dicho esto antes, pero no entres en ninguna mina —dijo su padre—. Pueden ser peligrosas y estar llenas de gases tóxicos.

La señora Kemp se sirvió otra taza de café. —Y ten cuidado en los caminos; probablemente todavía estén húmedos por la lluvia de anoche.

—Tendremos cuidado.

Matt y Jenny llegaron justo a tiempo, y pronto los tres amigos se fueron a investigar la mina de Grim Reaper. Cuando se acercaban a su destino, Steve giró su bicicleta de la carretera principal. Matt y Jenny lo siguieron, y todos escondieron sus bicicletas detrás de los árboles cercanos.

—¿Qué estamos buscando? —preguntó Matt mientras caminaban lentamente hacia la mina.

Steve se inclinó para atar el cordón de su zapato. —Vamos a llegar primero. Luego sacaremos el poema y veremos qué dice.

Caminaron el resto del camino en silencio. Cuando la mina tapiada apareció, Matt y Jenny miraron alrededor mientras Steve sacaba una copia del poema de su mochila.

Desdobló el papel. —Digamos que hemos llegado al lugar indicado en la primera parte del poema. La siguiente parte dice: «Una vez que llegues, busca a los gemelos, dentro de la cabeza de él, comienza el viaje».

Matt frunció el ceño. —¿Qué significa eso?

—¿Dentro de la cabeza de quién? —preguntó Jenny.

Steve se mordió el labio al pensar. —Creo que deberíamos comenzar buscando algo que sea doble. Los gemelos implican que hay dos, sean lo que sean. —Comenzó a examinar la ladera de la montaña cercana—. Recuerden, tiene que tener más de trescientos años, por lo que no puede ser nada nuevo.

Jenny miró a su alrededor. —¿Qué pasa si ha sido destruido? Trescientos años es mucho tiempo para que algo sobreviva.

—No creo que Darby esperara que alguien encontrara el tesoro de inmediato. Estoy seguro de que planeó que sus pistas fueran cosas que estarían disponibles por mucho, mucho tiempo.

Los cazadores de tesoros se separaron para comenzar a explorar el área. Las montañas estaban salpicadas de árboles y rocas, pero nada que pareciera gemelos. Después de casi una hora de búsqueda, se reagruparon frente a la mina.

Jenny se sentó y se cruzó de brazos. —Esto es imposible. Buscamos en todas partes y no hay nada que parezca gemelos.

Steve se sentó a la sombra de un pino. —Tomemos un descanso rápido, luego comencemos nuestra búsqueda nuevamente. Tenemos que ser pacientes. Recuerden, el pirata quería que fuera difícil encontrar el Zafiro Mágico.

Matt sacó algunos bocadillos de su mochila y se los pasó. Desenvolvió una barra de cereal y se sentó con la espalda apoyada en una roca. Unos segundos después, levantó la vista hacia el paisaje y entrecerró los ojos. Metiendo el resto del bocadillo en su boca, se levantó y se subió a la roca.

—¿Qué pasa? —preguntó Steve, notando el repentino movimiento de su amigo.

—Creo que veo algo en la montaña. ¡Vengan!

Matt saltó de la roca y comenzó a caminar hacia la montaña, señalando que lo siguieran. Se pusieron de pie y obedientemente se alinearon detrás de él. Los condujo a un claro donde podían obtener una vista sin obstáculos de la montaña.

—Compruébalo, a mitad de camino de la montaña. —Señaló—. ¿Ven esas cuevas? Si las miran cuidadosamente, comienzan a parecer como caras.

Jenny examinó las cuevas con atención. —Creo que tienes razón. De hecho, si sigues las grietas debajo de la cueva de la izquierda, casi se parecen a la forma de una mujer.

—Y las de la derecha tienen la forma de un hombre —agregó Matt.

—Una vez que llegues, busca a los gemelos, dentro de la cabeza de *él*, el viaje comienza —citó Steve.

—Pues, ¿qué estamos esperando? —estalló Jenny—. ¡Vamos a meternos en su cabeza!

Ella chocó los cinco con los dos antes de subir a la montaña. —No puedo creer que no haya visto esas cuevas. Miré hacia la montaña como mil veces.

Steve saltó sobre una gran roca. —Yo también. Por suerte para nosotros, los agudos ojos de Matt captaron lo que nos perdimos. Buen trabajo, Matt.

Él se encogió de hombros. —Es solo que esos árboles bloquearon la vista. Probablemente eran mucho más bajos cuando Darby estaba vivo, por lo que las cuevas eran más fáciles de ver en ese momento.

Continuaron su ascenso con gran ánimo, llegando a la apertura de la cueva en veinte minutos. Los tres amigos sacaron sus celulares y encendieron las aplicaciones de la linterna. Steve levantó su copia del poema.

—Ahora entonces, la siguiente parte dice: «Detrás del yo, revela el camino». En inglés, la palabra *yo* se deletrea como la letra *I*, entonces una vez que entremos en la cueva, vamos a buscar algo que pueda estar relacionada con la letra I.

Los otros asintieron y Matt los condujo a la cueva. —¡Guau! Esta cueva es mucho más grande por dentro de lo que parece desde afuera.

Se encontraron en una cueva de más de treinta pies de profundidad y casi cuarenta pies de ancho. Se extendieron para buscar la siguiente pista.

—¡Mira las paredes! —gritó Matt. Las tres linternas apuntaron a las paredes. Estaban cubiertas de imágenes.

Jenny miró las docenas de grabados antiguos. —Esto es bastante estraño.

—¿Cómo sabemos qué buscar? —preguntó Matt.

La linterna de Steve iluminó la cueva. —Nuestra única pista es «detrás del yo», o en inglés, la letra I, así que busca algo parecido a un yo or una I.

Los tres amigos se vertieron sobre las paredes, mirando cada imagen individualmente, esperando encontrar la siguiente pista.

—No veo nada que parezca un yo —dijo Matt tras unos minutos de búsqueda—. Solo un montón de dibujos locos. Aquí hay uno de un búho. Hay una montaña. Justo encima de ella hay algo que parece un incendio dentro de un nido o algo así. Al lado hay un caballo con alas. ¿Cómo sabemos qué imagen es nuestra pista?

Jenny apuntó su luz al suelo frente a ella. —Oye, miren por aquí.

Steve se agachó. —Creo que no fuimos los primeros en venir a buscar la pista. Parece que alguien cortó un pedazo de la pared.

Jenny se puso en cuclillas a su lado. —¿Qué estaban buscando?

Steve estudió el fragmento. —Creo que esto solía ser la imagen de un ojo. Quien haya hecho esto debe haber pensado que la siguiente pista estaba aquí detrás.

Matt frunció el ceño. —¿Por qué un ojo?

—Porque en inglés —respondió Steve—, la palabra para ojo es eye, y las palabras I y eye se pronuncian igual.

Matt recogió el fragmento de la pared, dándole la vuelta en sus manos. —¿Y si fuera así? ¿Y si vinieron aquí y ya encontraron el zafiro?

Steve sacudió la cabeza. —No creo que Darby puso la pista detrás de la imagen de un ojo. Deliberadamente deletreó la palabra I como en yo, no e-y-e como en ojo. No, la pista todavía está aquí, solo tenemos que encontrarla.

Matt dejó el fragmento y se levantó. —¿Cómo vamos a hacer eso? Hemos mirado todos los dibujos y ninguno de ellos parece un yo.

Steve se mordió el labio. —Quizás sea algo simbólico. Darby era un hombre religioso, así que tal vez la imagen que estamos buscando está relacionada de alguna manera con la palabra *yo* en la Biblia.

—Hay cientos de la palabra yo en la Biblia —protestó Matt—. ¿Cómo podemos averiguar cuál se supone que es?

—Apuesto a que Darby eligió algo que la gente religiosa sabría. A ver, todos fuimos a la escuela dominical. Piensan en dichos famosos de la Biblia sobre la palabra yo.

Estuvieron en silencio durante unos minutos, perdidos en sus pensamientos.

—Oye —dijo Matt de repente—. ¿Qué tal «Yo soy el primero y el último»? Eso es de la Biblia, ¿no? Tal vez Darby estaba tratando de decirnos que miráramos el primer dibujo o el último dibujo.

Steve asintió con la cabeza. —Eso suena como una buena posibilidad. Vamos a ver.

El trío se dirigió a la entrada de la cueva para examinar el primer dibujo, que resultó ser la imagen de un pájaro. Matt movió sus dedos alrededor del grabado tratando de ponerse detrás de él, pero el dibujo no tenía surcos ocultos y no podía ser eliminado.

—¡Nada! —dijo decepcionado.

—Tal vez la pista está en el último dibujo —sugirió Jenny.

Los niños trasladaron su atención al otro extremo de la cueva, donde el último dibujo era de un coyote. Una vez más, no pudieron encontrar una forma de moverlo o ponerse detrás del dibujo.

Steve comenzó a estudiar otros dibujos. —Sigan mirando. La respuesta está aquí en alguna parte.

De repente, lo escuchó de nuevo. El susurro. Estaba amortiguado, como siempre, pero se hizo más fuerte a medida que se acercaba a la pared de la cueva. Tocó la pared y el susurro se intensificó, luego se detuvo. —¿Ustedes escucharon eso?

—¿Escuchamos qué? —preguntó Jenny.

Matt se encogió de hombros. —No escuché nada.

—No importa. —Steve sacudió la cabeza para aclararla, luego volvió su atención a la búsqueda.

Observaron cada grabado una y otra vez, pero no encontraron nada parecido a un yo o una I. Finalmente, Matt suspiró y se sentó. —Esto es una locura. Creo que solo Dios sabe dónde está este Zafiro Mágico.

—No te rindas. Nosotros solamente ... —Steve se detuvo a media frase y se dio la vuelta—. ¡Eso es!

¿Qué es? —preguntó Jenny.

—Matt —dijo, ignorando la pregunta de Jenny—, ¿dónde viste ese dibujo de una montaña?

—Allá, cerca del suelo. ¿Por qué?

Steve corrió al lugar. —¡Ajá! ¡Por aquí! —Les indicó que se unieran a él.

Matt y Jenny se apiñaron alrededor de la imagen que Steve señaló.

—¿Recuerdan en el Antiguo Testamento, cuando Dios se le apareció por primera vez a Moisés? —Sin esperar una respuesta, Steve continuó—. Moisés vio algo en la montaña que tuvo que investigar. ¡Miren! Aquí está la montaña. —Señaló a la imagen de la gran montaña que Matt había visto originalmente.

—Y —continuó Steve—, vio algo que no podía creer.

—¡Un arbusto ardiendo! —Jenny soltó.

—Exactamente. —Steve trató de controlar su emoción—. Eso no es un incendio en un nido, Matt, es un arbusto en llamas. ¿Recuerdan lo que Dios se llamó a sí mismo? Le dijo a Moisés que le dijera a la gente que YO SOY lo había enviado. El último *yo* en la Biblia es Dios, o el arbusto ardiendo.

Jenny felicitó a Steve por su buen pensamiento. La voz de Matt la interrumpió.

—Amigos —dijo mientras movía las manos sobre el dibujo—, creo que esto se puede mover.

Sus dedos delinearon un fragmento de la pared que rodeaba la imagen. Con un poco de tirón, se hizo evidente que la sección de la pared saldría.

Mientras Matt trabajaba en el dibujo, que lentamente comenzó a salir de la pared, Steve y

Jenny levantaron las linternas para ayudarlo a ver. Finalmente, la imagen y las diez pulgadas de roca detrás de ella cayeron en sus manos. Puso el pedazo de pared con cuidado en el suelo.

Steve se puso en cuclillas para mirar adentro, sosteniendo su celular en el agujero abierto. Decidiendo que necesitaba más luz, sacó la potente linterna de su mochila y la encendió.

Jenny se arrodilló a su lado. —¿Que hay ahí?

—Parece una especie de gancho. —Metió la mano dentro y tiró del gancho—. ¡Ugh! —Él retiró su mano—. Está bastante apretado. Matt, mira si puedes jalarlo.

Matt metió la mano y tiró. Envolvió la otra mano alrededor de su muñeca para mayor apoyo, y plantó sus pies firmemente en el suelo. Apretando los dientes, tiró con todas sus fuerzas. Pronto, una sección de la pared de unos tres pies de ancho y dos pies de alto comenzó a moverse hacia adelante. Unos cuantos tirones más, y el pedazo de pared salió por completo.

Todos miraron la apertura.

—Detrás del yo, revela el camino —citó Steve.

De repente, la cueva estaba llena de aplausos. Sorprendido por el ruido, el trío se dio la vuelta. ¡Frente a ellos estaba Frank Alexander con una pistola!

CAPÍTULO 6
UNA TRAMPA EXPLOSIVA

—¡Bravo! —Frank Alexander caminó hacia los tres niños, los miró a cada uno individualmente, luego comenzó a caminar delante de ellos.

—Estoy impresionado. Dos niños y una niña —hizo una leve reverencia a Jenny—, han hecho algo que los autores intelectuales de todo el mundo no han podido hacer. —Se detuvo y se enfrentó al trío—. Han encontrado el camino al Zafiro Mágico.

Encendió un cigarrillo. —Debería haberles contratado a los tres desde el principio. Hubiera ahorrado gran parte de mi valioso tiempo.

—¿Qué quiere? —preguntó Steve, tratando de sonar tranquilo.

—Lo que quiero es simple. Me gustaría que ustedes, jóvenes detectives, encuentren el Zafiro Mágico y me lo traigan.

—En sus sueños —dijo Jenny—. No trabajamos para usted.

Matt se cruzó de brazos. —Sí señor. Si quiere el zafiro, tendrá que entrar y conseguirlo usted mismo.

Frank Alexander sonrió y le dio una larga fumada a su cigarrillo.

—No creo que entiendan bien la situación. — Se arrodilló junto al agujero recientemente descubierto—. Esta apertura parece ser un poco pequeña para mí. Ustedes tres, sin embargo, parecen ser del tamaño perfecto para el trabajo.

—¿Qué le hace pensar que le conseguiremos el zafiro? —preguntó Jenny.

El señor Alexander se puso de pie, arrojó su cigarrillo al suelo y lo apagó con su zapato. —Te daré un incentivo. Carlos! ¡Juan!

A la cueva entraron dos grandes hombres hispanos, cada uno arrastrando un pequeño cuerpo con una capucha cubriendo su cabeza. El más grande de los hombres les quitó las capuchas. Debajo estaban Cassie y Ben.

El hermano y la hermana tenían mordazas en la boca y sus manos estaban atadas con una cuerda. Se veían aterrados.

El señor Alexander agarró a Cassie por el brazo. —O ustedes tres me traen el zafiro o mataré a su pequeña amiga. —Él le puso la pistola en la cabeza.

Cassie gimió.

—¡Déjela ir! —Matt exigió.

—Traiganme el Zafiro Mágico; la niña y su hermano salen libres.

Steve señaló a Cassie y Ben. —¿Cómo sabemos que, una vez que se lo traigamos, los dejará ir?

El señor Alexander sonrió. —Tienen mi palabra.

—Eso es un consuelo —murmuró Matt en voz baja.

—Vayan. Traiganme el zafiro y dejaré su presencia sin quitar una sola vida. Regresen sin la piedra mágica, entonces sus amigos aquí ya no tendrán un propósito.

Steve miró a sus dos compañeros. —No tenemos otra opción. —Dejó la mochila en el suelo, guardó el poema en el bolsillo y luego giró la linterna hacia la abertura—. Vamos.

—Un momento. —El ladrón se acercó a él y le tendió la mano—. Sus teléfonos celulares, por favor. No quisiera ninguna ... llamada accidental al 9-1-1.

Steve le dio su teléfono y luego se puso de rodillas para comenzar a gatear por el agujero en la pared. Después de obtener su linterna, Matt arrojó su teléfono y su mochila al suelo, murmuró algo ininteligible y luego se dejó caer a cuatro patas detrás de Steve. Jenny copió a Matt con su molicha y su celular. Steve asintió por última vez a sus amigos y entró en la pared.

Frank Alexander encendió otro cigarrillo y vio a los tres detectives salir de su vista.

Cassie esperó a que los pies de Jenny desaparecieran en el agujero, luego su expresión aterrorizada desapareció y sus ojos verdes brillaron. Se desenrolló las cuerdas alrededor de las muñecas y se sacó la mordaza de la boca.

¿Ya lo ve? —le dijo a Frank Alexander—. No tenían ni idea.

—¡Idiotas! —Ben, que también se había desatado, se echó a reír.

—Ambos desempeñaron sus papeles muy bien —dijo el británico alto—. Deberían ser elogiados.

Ben miró a su alrededor. —¿Dónde está la cámara oculta, de todos modos?

El Sr. Alexander golpeó el bolígrafo que sobresalía de su bolsillo.

Cassie giró en círculo. —Esto es genial. No puedo esperar hasta que descubran que han sido engañados en la televisión nacional.

—Sí —estuvo de acuerdo Ben—. No puedo creer que sean tan estúpidos como para pensar que realmente están buscando un tesoro escondido.

Frank Alexander sonrió. —Si. Algunos niños son bastante crédulos. —Sacó un rollo de efectivo de su bolsillo, entregándole a cada niño una pila de dinero—. Cien dólares cada uno, como se prometió. El auto está esperando afuera para llevarlos de regreso a la ciudad.

—Aw —se quejó Ben—, ¿no podemos quedarnos a mirar? Quiero ver sus caras cuando descubran que todo es una broma.

—Me temo que eso no es posible. Pero no te preocupes, pequeño, los verás en la televisión lo suficientemente pronto.

Cassie y Ben salieron de la cueva, cogidos del brazo, riendo. Frank Alexander los vio irse, luego regresó y miró el agujero en la pared.

—¿Crees que estos niños realmente pueden hacerlo, jefe? —preguntó Carlos—. ¿Pueden encontrar el zafiro?

El ladrón de joyas dio una larga fumada a su cigarrillo. —Han llegado más lejos que nadie. Creo que pueden tener una oportunidad.

Después de gatear unos veinte pies, Steve notó que el túnel se hacía más grande. Unos metros más y él podría ponerse de pie.

Matt se unió a él. —¿Dónde estamos?

—No lo sé. Parece otra cueva.

Jenny salió a gatas del túnel. —¿Que está pasando?

—No estamos seguros —respondió Matt.

Jenny parpadeó un par de veces y apagó la linterna. —¿Por qué es tan brillante aquí?

Steve señaló a hacia arriba. —Hay una grieta en la montaña sobre nosotros dejando que entre el sol.

Matt se limpió un poco de suciedad de sus pantalones cortos y de su camisa. —¿Que hacemos ahora?

—Encontremos el zafiro —dijo Steve.

—Amigo, ¿crees que realmente podemos hacerlo? Quiero decir, sé que descubrimos las primeras dos pistas, pero ¿podemos encontrar seriamente este Zafiro Mágico?

—Tenemos que hacerlo. —La solemne voz de Steve resonó en la cueva. Sacó su copia del poema. —«Detrás del yo revela el camino, cuidado con los secretos de la ira de Satanás».

Matt frunció el ceño. Señaló al verso en el papel. —¿Qué significa esa parte? ¿La parte sobre la ira de Satanás?

Steve se encogió de hombros. —No estoy seguro, pero debemos tener cuidado.

Los tres amigos comenzaron a mirar a su alrededor, sin ninguna idea de qué buscar.

—Oye, amigos, por aquí —gritó Matt después de unos minutos.

Steve y Jenny se acercaron.

Señaló a un pasillo estrecho de aproximadamente dos pies de ancho, pero lo suficientemente alto como para que los niños lo atraviesen sin gatear. —¿Creen que Darby quería decir que fuéramos por allí?

Steve caminó y examinó toda la cueva. —Parece la única forma de salir de aquí.

—Vamos entonces —dijo Matt—. Cassie y Ben cuentan con nosotros. —Entró en el pasillo, seguido por Steve, luego Jenny. Después de unos quince pies, se detuvo.

—¿Qué pasó? —preguntó Steve.

—Tengo un mal presentimiento sobre esto. —Sacudió la cabeza lentamente—. No puedo explicarlo. Es como si algo me dijera que pare. —Su voz sonaba incómoda.

—No entres más —dijo Jenny, su voz también incómoda.

Steve se mordió el labio al pensar. —Quizás Darby estaba tratando de advertirnos sobre los peligros en el pasillo. «La ira de Satanás» podría ser una advertencia de cosas malas por venir.

—Jenn —dijo Matt de repente—, tráeme un par de rocas grandes. Tengo una idea.

—Bueno. —Ella retrocedió por el pasillo, luego regresó unos momentos después con dos piedras del tamaño de una pelota de softball—. Aquí tienes. —Le entregó a Steve las rocas para que se las diera a Matt.

—¿Qué vas a hacer con estas? —dijo Steve.

Matt no respondió. En cambio, levantó una de las rocas y la arrojó al pasillo frente a él. De repente, el aire se llenó con un zumbido que duró aproximadamente medio segundo.

Jenny miró alrededor del oscuro túnel. —Eh, ¿qué fue eso?

Matt entrecerró los ojos en el pasillo. —No estoy seguro. Déjame intentarlo de nuevo. Enciendan sus linternas por aquí.

Se arrodilló señalando a los demás que hicieran brillar sus linternas sobre su cabeza, hacia el pasillo. Cuando el camino frente a ellos estaba iluminado decentemente, arrojó la segunda piedra de la misma manera que la primera. De nuevo, el zumbido llenó el túnel.

Matt se puso de pie. —¿Vieron eso?

Steve asintió con la cabeza. —Sí. Filas de flechas salen disparadas de las paredes cada vez que algo toca el piso frente a nosotros.

Jenny examinó las paredes, el piso y el techo del pasillo con su linterna. —¿Cómo se supone que debemos pasar por allí?

—En serio —agregó Matt—, es una trampa.

Steve movió su luz arriba y abajo de las paredes frente a ellos. —Tiene que haber una manera de pasar. La respuesta debe estar en el poema.

Levantó el poema a su linterna. —Estoy bastante seguro de que hemos descubierto el significado de «Los apresurados se convierten en agujeros».

—Eso es seguro —murmuró Matt. Miró el poema sobre el hombro de Steve—. ¿Qué significa la siguiente parte? ¿La línea que dice: «solo los hombres humildes sobreviven»?

—Esa debe ser la respuesta para pasar las flechas. —Steve arrugó la frente—. Debemos descubrir cómo y por qué los hombres humildes pueden sobrevivir a este pasadizo.

Matt estudió el poema. —¿Qué quiere decir exactamente Darby con humildes?

—Darby era un hombre religioso —respondió Steve—, así que supongo que la palabra humilde debe tener algún tipo de significado religioso.

—¿Como qué?

Steve ignoró la pregunta de Matt, mirando el pasillo frente a ellos, sumido en sus pensamientos. ¿Qué haría que los hombres humildes sobrevivieran cuando todos los demás no lo harían?

—Tengo una idea —dijo de repente—. Tráeme dos rocas más.

—En seguida. —Jenny retrocedió por el pasillo, regresando rápidamente con otras dos rocas. Se las entregó a Steve.

—Cambiame de lugar, Matt —ordenó Steve.

Su amigo obedeció y Steve se arrodilló sobre la tierra. —Vuelvan a encender sus linternas en el pasillo.

Puso una de las rocas en el suelo y sostuvo la otra en su mano derecha, mirando atentamente hacia el pasillo. —Aquí va nada. —Tiró la piedra frente a él.

Una vez más, las flechas salieron disparadas de las paredes cuando el peso de la roca tocó el suelo.

—¡Eso es! —dijo Steve emocionado y se levantó de un salto. —Así es como pasaremos por el pasillo.

—¿Cómo? —Matt y Jenny preguntaron al unísono.

Una sonrisa se extendió por su rostro. —Arrastrándonos por el túnel en nuestros estómagos.

Las cejas de Jenny se arquearon. —¿Qué?

—¿Estás loco? —Matt añadió con incredulidad—. No sé tú, pero yo no deseo convertirme en un alfiletero.

Jenny sacudió la cabeza. —No lo entiendo. ¿Por qué necesitamos arrastrarnos en nuestros estómagos? ¿Cómo nos salvará eso?

—Porque —explicó Steve—, no hay flechas cerca del suelo. Cuando Darby dijo: «solo los hombres humildes sobreviven», estaba hablando de hombres que se postraron ante Dios. Voy a lanzar esta próxima piedra, y quiero que ambos bajen y miren de cerca.

Matt y Jenny hicieron lo que Steve les pidió y encendieron sus linternas en el pasillo.

—¿Listos? —Steve miró a sus amigos. Ambos asintieron.

Arrojó la piedra y una vez más las flechas llenaron el pasillo.

Matt se puso de pie. —Tienes razón. Hay cerca de dos pies de seguridad cerca del suelo.

—Podemos arrastrarnos fácilmente debajo de las flechas sin convertirnos en *agujeros*. —La emoción en la voz de Jenny era evidente.

—Salgamos del pasillo. —La anticipación en la voz de Steve también fue notable—. Vamos a necesitar bastante espacio para acostarnos antes de gatear.

Los tres amigos se retiraron con cautela.

Matt comenzó a arrodillarse. —Yo iré primero.

—De ninguna manera —protestó Jenny, agarrando su brazo—. Soy la más pequeña, así que debería ir primero.

—No, yo iré primero —dijo Steve—. Soy el…

¡Yo voy primero! —interrumpió Matt en voz alta—. Soy el más grande, así que si puedo lograrlo, ustedes dos no tendrán ningún problema.

Antes de que los otros dos pudieran protestar más, Matt estaba en el suelo parcialmente en el pasillo.

—Ten cuidado. —Steve encendió su linterna para que Matt pudiera ver.

Jenny se arrodilló junto a Steve, copiándolo con su linterna.

Cuando Matt llegó al lugar donde los tres niños se habían detenido antes, su corazón comenzó a latir salvajemente. Respiró hondo, exhalando lentamente. Los siguientes momentos podrían significar la diferencia entre la vida y la muerte.

Cerró los ojos y lentamente se arrastró hacia adelante.

CAPÍTULO 7
LA BÚSQUEDA DE LA PIEDRA

—A ver qué pasa —murmuró Matt en voz baja.

—¡Mantén tu trasero abajo! —Escuchó a Jenny decir mientras avanzaba.

Siguiendo su consejo, se arrastró lentamente tratando de no dejar que ninguna parte de su cuerpo se elevara demasiado del suelo.

De repente, el sonido de flechas zumbantes llenó el aire.

Se congeló. Las flechas atravesaron el túnel pasando centímetros sobre su caeza.

—¿Estás bien? —La voz ansiosa de Jenny sonó detrás de él.

—¡Estoy bien! —le gritó—. Hasta aquí, por lo menos.

Matt reanudó su avance y las flechas volvieron a salir. Tratando de no entrar en pánico cada vez que oía el zumbido sobre su cabeza, continuó moviéndose, poco a poco, por el túnel. Después de lo que pareció una eternidad, aunque solo fueron unos cuarenta y cinco segundos, el pasadizo terminó en otra cueva.

Con cuidado, se levantó y se limpió el polvo de la ropa. —¿Pueden escucharme? —gritó en el pasillo.

—¡Sí! —gritó Steve—. ¿Que pasó?

—Pasé. Simplemente ve despacio y mantén todo tu cuerpo cerca del suelo.

—Ahora voy yo —anunció Steve.

—Está bien, amigo. —Matt volvió a encender su linterna en el túnel—. Solo ven hacia la luz.

Pronto la cabeza de Steve apareció por el pasillo.

Matt lo ayudó a ponerse de pie. —¿Estás bien?

Steve asintió y se volvió hacia el pasillo. —Jenny, ¡es tu turno!

—¡En camino!

A los pocos minutos, después de sacudirse el polvo, los tres amigos empezaron a mirar a su alrededor.

Steve sacó el poema de su bolsillo. —Tenemos que tener mucho cuidado de ahora en adelante. Estoy seguro de que esas flechas de disparo no fueron la única trampa que Darby nos tendió.

Matt se quitó el zapato y sacudió un poco de arena. —¿Qué dice la siguiente parte del poema?

Steve levantó su linterna hacia el poema. —«Los apresurados se vuelven agujeros, solo los hombres humildes sobreviven. Para enfrentar la batalla final, uno debe saltar cinco».

Matt miró a su alrededor. —Saltar cinco ¿qué?

—Steve! ¡Matt! ¡Por aquí! —gritó Jenny.

Los dos muchachos se acercaron a ella.

—Creo que encontré la salida de esta cueva. —Señaló a una gran pila de rocas—. Parece que hubo un derrumbe o algo así. Las rocas nos están bloqueando la salida.

Matt tiró de un par de rocas para ver si se movían.

—Cuidado. —Steve estudió el montón de rocas—. Este podría ser otro de los trucos de Darby.

Matt sacudió la cabeza. —No lo creo. Este tobogán de roca parece bastante nuevo. ¿Ves lo sueltas que están las rocas? Apuesto a que sucedió cuando tuvimos ese gran terremoto hace unos años.

Steve asintió con la cabeza. —Probablemente tengas razón, pero aún debemos mantener los ojos abiertos y ser extremadamente cuidadosos.

Los otros dos estuvieron de acuerdo y comenzaron a quitar las rocas. Después de unos quince minutos, se despejó un camino. Los tres amigos caminaron cautelosamente por la salida antes bloqueada y entraron en un túnel de unos ocho pies de ancho.

Linternas en mano, avanzaron lentamente. Cada paso hacía que el corazón de Steve latiera más rápido mientras sus linternas exploraban las paredes, el suelo y el techo en busca de otra de las trampas explosivas de Darby.

Después de unos minutos de silencio, Steve hizo un gesto a sus compañeros para que se detuvieran.

—¿Qué pasó? —preguntó Jenny, con una voz apenas por encima de un susurro.

Señaló al suelo delante de ellos. —Mira el piso.

La luz de su linterna mostraba enormes marcas talladas en el suelo, cada una de aproximadamente dos pies de ancho.

Matt se agachó. —Parecen letras gigantes ... L V C I X.

—¿Qué se supone que significa eso? —preguntó Jenny.

Steve levantó la linterna hacia el poema. —La siguiente parte del poema dice: «Para enfrentar la batalla final, uno debe saltar cinco».

—¿Cinco qué? —Jenny movió su linterna a través de las marcas—. ¿Las cinco letras? ¿Crees que Darby quería decir que no debemos caminar sobre las letras sino saltar sobre ellas?

Steve vaciló. —Es posible.

Ella señaló al poema. —¿Qué más podría significar? Hay cinco letras y él dijo específicamente que *saltar cinco*. Estoy bastante segura de que quiso que lo siguiéramos exactamente.

Matt se encogió de hombros. —Jenn

69

probablemente tenga razón. Saltar las letras sería seguir sus instrucciones.

Steve sacudió la cabeza. —No lo sé. Suena demasiado fácil. Todas las pistas de Darby han necesitado alguna interpretación. Esta parece demasiado simple.

—Tal vez nos está dando un descanso. —Matt se levantó—. Probablemente pensó que si hemos llegado tan lejos, merecemos una pista fácil.

Jenny asintió con la cabeza. —Creo que Matt tiene razón. Saltaré las cinco letras.

—Cinco letras ... —murmuró Steve.

Matt miró las letras gigantes, tratando de calcular la distancia. —No lo sé, Jenn. Tal vez debería ir primero. Soy más atlético.

—Exactamente por qué yo soy la que debería ir primero —protestó ella—. Si algo sale mal, entonces saltaré hacia atrás y te necesito aquí para que me atrapes.

Hizo una pausa por un momento, luego finalmente asintió rápidamente. —Tienes razón. Pero si sientes o escuchas algo extraño, salta de regreso. ¿Entiedes?

Jenny le palmeó el hombro. —Estaré bien. Y si algo sale mal, prometo que lo haré.

Matt se colocó junto a Jenny.

—¿Lista? —preguntó.

—Lista. —Ella dobló las rodillas, preparándose para saltar—. Aquí voy.

—¡No! ¡Espera! —Steve agarró el brazo de Jenny y tiró de ella hacia atrás.

Ella perdió el equilibrio y cayó. Matt la atrapó antes de que cayera al suelo.

—¿Qué pasó? —preguntó Matt mientras ayudaba a Jenny a recuperar el equilibrio.

—Oye, Steve. —Ella se estabilizó—. Casi me rompes el brazo.

Señaló al poema. —Cuando Darby dijo: «uno debe saltar cinco», no quiso decir las cinco letras, sino el número cinco.

Jenny se frotó el brazo. —¿De qué estás hablando?

—Darby quería decir que siguiéramos sus instrucciones exactamente. En números romanos, el número cinco es una V mayúscula. Entonces, cuando Darby dijo que saltara cinco...

—... tenía la intención de saltar por encima de la V. —terminó Jenny.

—Exactamente.

—Muy bien entonces. —Jenny se movió delante de la letra V—. Seguiremos el mismo plan que antes, solo que esta vez, saltaré desde aquí. Vamos, Matt.

Él se posicionó nuevamente para poder agarrar a Jenny en caso de que algo saliera mal. —Estoy listo cuando tú lo estés.

—Ya voy.

Saltó directamente sobre la V, aterrizando

aproximadamente ocho pulgadas al otro lado de la letra gigante. De repente, el suelo comenzó a temblar, y antes de que los tres amigos pudieran parpadear, el suelo a ambos lados de Jenny se derrumbó. Inmediatamente saltó hacia sus amigos que la llevaron a un lugar seguro. Cuando el polvo se asentó, el trío se inclinó y vio un puente de roca que conectaba su lado del túnel con el otro lado. El puente estaba ubicado al otro lado de la V.

El trío miró asombrado el puente y comenzó a cruzar con cuidado.

—¡Caramba! —Matt miró a su lado—. Si Jenny hubiese saltado hacia donde iba la primera vez, estaría perdida.

Jenny estuvo de acuerdo. —Gracias Steve. Te debo una.

Terminaron de cruzar el puente y echaron una última mirada detrás de ellos.

—No me lo agradezcas todavía. Aún no tenemos el Zafiro Mágico, y estoy seguro de que Darby tiene más *secretos* guardados para nosotros.

Matt miró alrededor del túnel. —Hablando de Darby, ¿qué sigue en el poema?

—A ver. —Steve sacó el poema—. «El joven David sabía el secreto para acabar con la felicidad del gigante, sigue sus pasos para conquistar el abismo».

Matt leyó el poema sobre el hombro de Steve. —¿Crees que está hablando de David y Goliat?

—Sí. —Steve asintió—. De alguna manera, la historia de David y Goliat es importante para descubrir la próxima trampa de Darby.

Los tres amigos avanzaron cuidadosamente a través del túnel, sus ojos constantemente buscando la próxima sorpresa de Darby.

Pasaron diez minutos. —No lo entiendo —dijo Matt mientras movía la linterna alrededor—. ¿A dónde nos lleva este túnel? Hemos estado caminando para siempre, y siento que vamos en círculos.

—Sé a lo que te refieres. —Jenny se detuvo por un momento para atar su cordón—. ¿Crees que nos perdimos un desvío o algo así?

Steve sacudió la cabeza. —No. Hemos estado manteniendo nuestros ojos abiertos. Si hubiera un desvío, nos habríamos dado cuenta. Tengo la sensación de que sabremos a dónde nos llevará Darby cuando lleguemos allí.

Caminaron unos minutos más en silencio, luego Steve se detuvo de repente. —Guau.

Matt y Jenny caminaron hacia él.

—Dios mío —fue todo lo que Jenny pudo decir.

—Caramba —dijo Matt con asombro.

Los tres detectives se pararon frente a un enorme hoyo, separándolos del otro lado del túnel. Steve entrecerró los ojos para intentar ver el fondo. Por lo que podía ver, continúa indefinidamente.

—Bueno, creo que encontramos el abismo de Darby.

—Es seguro. —Matt se arrodilló para examinar la interminable oscuridad—. Ahora, todo lo que tenemos que hacer es cruzarlo. —Cogió una pequeña piedra y la arrojó al abismo. Ningún sonido.

—¿Aproximadamente qué tan lejos dirías que está el otro lado? —preguntó Steve.

—Mmmm, unos quince pies, tal vez. Definitivamente demasiado lejos para saltar. —Se puso de pie y se limpió el polvo de sus pantalones cortos.

—Lee el poema de nuevo —dijo Jenny.

—«El joven David sabía el secreto para acabar con la felicidad del gigante, sigue sus pasos para conquistar el abismo».

Jenny enfocó su linterna al otro lado del túnel. —Creo que encontré al gigante.

Una estatua de un hombre de unos cinco metros de altura los miraba, sonriendo.

—Oh, claro —murmuró Matt—, es fácil para él sonreír, está del otro lado.

Jenny movió su linterna. —Darby dijo que la historia de David y Goliat nos ayudaría a cruzar el abismo. ¿Qué crees que quiso decir?

—No veo cómo cualquier cosa además de un puente colgante podría llevarnos a pasar por este pozo. —Matt se inclinó, mirando el abismo sin fin.

—David fue a la batalla contra el gigante Goliat con nada más que un puñado de rocas y un tirachinas —dijo Steve pensativo—. Me pregunto ... ¡Matt! —dijo abruptamente—. ¿Crees que podrías golpear la frente del gigante con una roca?

—¿En serio?

Steve asintió con la cabeza. —Totalmente. Darby dijo que siguiera los pasos de David para conquistar el abismo. Eso significaría golpear al gigante con una piedra en la frente.

Matt parecía dudoso. —Puedo intentarlo, pero no puedo prometer nada. —Miró a su alrededor y encontró un par de buenas piedras arrojadizas. Lanzó la primera y rebotó en el hombro izquierdo del gigante.

—Sigue intentándolo —instó Steve—, estoy seguro de que este es el secreto.

Matt lo intentó dos veces más y no pudo golpear la frente. —Amigo, no sé si puedo hacer esto.

—Puedes hacerlo. —Jenny trató de sonar tranquilizadora—. Sólo sigue intentando.

Matt suspiró. —Está bien. —Cogió algunas rocas más, miró cuidadosamente al gigante y apuntó. Esta vez la roca golpeó al gigante justo en el centro de su frente.

—Buen tiro —tanto Jenny como Steve lo elogiaron.

—¿Y ahora qué? —preguntó Matt.

Antes de que los otros dos pudieran responder, el suelo comenzó a temblar.

—¡Cuidado! —gritó Steve.

El trío saltó hacia atrás, tratando de mantener el equilibrio. Sin previo aviso, el gigante de piedra comenzó a temblar y las rocas comenzaron a caerse de las paredes.

CAPÍTULO 8
EL ALMA DE DIOS

El polvo llenó el túnel haciendo que los tres niños tosieran violentamente. Finalmente, el temblor se detuvo.

Steve miró a sus amigos. —¿Todos bien?

Jenny volvió a toser. —Creo que sí.

Matt se frotó la cabeza, aparentemente tratando de sacar algo del polvo de su cabello. —Yo también.

—A ver qué pasó. —Steve giró su linterna hacia el otro lado del túnel.

Jenny sacudió la cabeza. —Increíble.

El gran gigante de piedra había caído de bruces sobre el abismo, creando un puente para que lo cruzaran.

Matt felicitó a Steve. —Lo hiciste. Descubriste el camino para que podamos cruzar.

—Otra pista descifrada —dijo con aire de suficiencia.

Jenny se acercó al gigante caído. —Debemos estar acercándonos. Crucemos y terminemos esto.

Los otros estuvieron de acuerdo y pronto el trío cruzó el puente *gigante*, continuando su búsqueda del Zafiro Mágico. Después de caminar solo unos minutos, llegaron a una bifurcación en el camino.

Matt dirigió su linterna a las entradas de ambos túneles. —¿Hacia dónde vamos?

—Veamos qué nos dice Darby. —Steve leyó el poema—. «El santo llega a la puerta del cielo, elige el camino sabiamente y así sella tu destino».

—No me gusta el sonido de esa última parte —dijo Matt—. La parte de *y así sella tu destino* suena como una decisión de vida o muerte.

Steve se mordió el labio. —Uno de estos caminos nos llevará al zafiro.

—¿Y el otro? —dijo Matt—. Pensándolo bien, no respondas.

—¿Cómo sabemos cual camino es el correcto? —preguntó Jenny.

Steve se encogió de hombros. —El poema no nos da ninguna otra pista. Tenemos que pensar y elegir el camino correcto.

El trío se sentó, perdido en sus pensamientos, y miró los dos caminos. Uno seguramente los llevaría al zafiro y el otro a la muerte.

Ahí estaba de nuevo. El susurro. Steve miró a su alrededor. Ahora estaba más cerca, como si los sonidos vinieran de su propia cabeza.

De repente, Jenny se levantó y corrió hacia la entrada de los caminos. Miró a uno, luego al otro.

Steve la miró con curiosidad. —¿ Que pasó?

Ella se dio la vuelta. —¡Ya lo tengo! Sé qué camino nos llevará al Zafiro Mágico.

—¿Cúal?   —dijeron   Steve   y   Matt simultáneamente.

—Debería haberlo pensado de inmediato.

Matt parecía confundido. —¿Pensado en qué?

—Todos sabemos que Darby era un hombre religioso, ¿verdad?

—Sí —respondió Steve, tratando de controlar su impaciencia—. ¿Y?

—Bueno, recuerdo una vez cuando fui contigo a la escuela dominical, el maestro habló sobre cómo el camino hacia la vida eterna es estrecho, o algo así, y el camino hacia el lugar malo es amplio. No recuerdo cómo va exactamente, pero sé que el camino que se supone que debes seguir es estrecho. Y mira. —Señaló al camino a la derecha—. Ese camino es estrecho, pero el de la izquierda es ancho. Entonces, un *santo* seguiría el camino angosto.

Steve sonrió. —Excelente. Eso tiene que ser lo que Darby quiso decir con la pista. Un santo que llega a la puerta del cielo elegiría el único camino que lo llevaría al cielo. —Se puso de pie—. Vamos, santos, es hora de pasar por la puerta del cielo.

Steve y Matt se unieron a Jenny en la entrada del camino estrecho. Se miraron el uno al otro en busca de apoyo, respiraron profundamente y entraron lentamente en el túnel.

Steve entró en el estrecho pasillo y el susurro en su cabeza se hizo más fuerte. Era como si algo lo estuviera llamando, pero no podía entender lo que decía.

Continuaron por el túnel en silencio. El camino terminaba en una cueva más o menos del tamaño de la que comenzaron, en la que Frank Alexander los esperaba.

—¿Escuchan eso? —Matt preguntó nerviosamente.

Jenny miró a su alrededor. —Lo escucho.

Un constante y profundo zumbido llenó la cueva.

—Suena como cuando alguien acerca un micrófono a un altavoz —dijo Jenny.

Matt no estuvo de acuerdo. —A mí me suena más como un latido espeluznante de robot.

Jenny frunció el ceño. —¿Y cómo sabes cómo suena un latido espeluznante de robot?

—Miren. —Steve interrumpió su discusión y señaló al lado izquierdo de la cueva—. Parece que esta cueva tiene una abertura al exterior. Debemos haber caminado claro a través de la montaña.

Matt se encogió de hombros. —No lo sé, amigo. Dimos tantas vueltas en esos túneles, podríamos estar en cualquier parte del mundo.

Jenny miró a Steve. —¿Que sigue?

Levantó el poema. —«Él tiene tu destino dentro de su corazón, una vez sacado de su lugar, apresúrate a partir».

—Um, amigos —dijo Matt en voz baja.

Jenny miró el poema de cerca. —¿Quién tiene tu destino?

—¡Oye! —La voz de Matt llenó la cueva—. Aquí.

Steve y Jenny caminaron hacia él. Los tres detectives se quedaron completamente inmóviles, hipnotizados por lo que vieron. Frente a ellos se encontraba una estatua de tamaño natural de Jesús, con los brazos extendidos como si les diera la bienvenida.

El zumbido profundo y pulsante emanaba de la escultura. El susurro dentro de la cabeza de Steve también parecía provenir de ella.

Matt se aclaró la garganta. —Creo que acabamos de descubrir quién es *Él*.

Steve dobló el poema y se lo guardó en el bolsillo. —Darby dijo que nuestro destino se encontraría dentro de su corazón. Creo que vamos a encontrar el Zafiro Mágico dentro de la estatua, probablemente cerca de donde estaría su corazón.

Matt arrastró los pies. —Pero, ¿cómo vamos a sacarlo? No estoy seguro de querer romper esta estatua. Quiero decir, es ... bueno...

—Relájate, Matt, no creo que tengamos que romper a Jesús. —Steve se acercó y miró a la estatua. Podía escucharlo claramente. El zafiro lo estaba llamando.

—Entonces, ¿qué debemos hacer? —preguntó Matt.

—Tal vez deberíamos... um, Steve? —dijo Jenny—. ¿Qué estás haciendo?

Steve no respondió. No pudo responder. Sus ojos se habían cerrado. El susurro. Estaba guiando sus movimientos. Dio un paso más y levantó las dos manos hacia la escultura. Extendió los dedos, tocó la estatua y se deslizó lentamente por la sección media de la figura hasta que encontró una palanca oculta. La jaló y abrió los ojos. Un cajón secreto apareció. En el interior, estaba el Zafiro Mágico.

Metió la mano derecha y recogió la hermosa piedra azul. Estaba brillando. Miró profundamente la roca, su mente conectándose con ella. La extraña sensación, el susurro: había sido el zafiro desde el principio. Steve continuó mirando la piedra magnífica, su mente completamente ajena a todo lo demás.

De repente, sintió los fuertes brazos de Matt tirando de él.

—¡Steve! —Matt estaba gritando—. ¡Tenemos que salir de aquí!

Apartó la mirada del zafiro y miró a su alrededor. Una pequeña roca lo golpeó en la cabeza. Levantó la vista y se dio cuenta de lo que estaba sucediendo. El techo se derrumbaba.

—¡Corre! —gritó Matt y los tres amigos salieron corriendo hacia el exterior. Una nube de polvo los siguió. Una vez que la tierra se asentó, caminaron de regreso a la cueva, pero las rocas habían bloqueado completamente la entrada.

Su atención pronto volvió al zafiro. Ya no brillaba, pero el profundo color azul centelleó bajo el sol.

—Es hermoso —dijo Jenny con asombro.

Matt asintió con la cabeza. —Sí. Y no puedo superar lo grande que es.

Steve miró el zafiro con atención. Los susurros se habían detenido, pero aún sentía una fuerte conexión con la piedra. Se colocó el zafiro en el bolsillo. —Tenemos que descubrir cómo volver a la cueva donde comenzamos. Los gemelos Baker cuentan con nosotros.

—¿Pero dónde estamos? —preguntó Jenny—. Podríamos estar en cualquier lugar.

Matt inspeccionó el área. Dio unos pasos hacia adelante y miró hacia la montaña. —No van a creer esto.

Jenny se unió a él. —¿Qué?

—¿Recuerdan cuando entramos por primera vez en la cueva donde comenzó todo esto? Bueno, acabamos de salir de la otra cueva ... la otra gemela.

—¡Por supuesto! —Steve sacó el poema—. Eso explica la última parte del poema: «De las profundidades de ella emerges, a tu corazón, mantenlo cerca, porque los malvados codician El Alma de Dios». Cuando vimos por primera vez las cuevas, solo estábamos buscando la que parecía un hombre, pero ahora salimos de su gemela, la que parece una mujer.

Jenny aplaudió. —Así que no estamos lejos de los gemelos Baker en absoluto.

—Vámonos —instó Matt—. Nos hemos ido bastante tiempo y tengo la sensación de que el Sr. Alexander no es un hombre paciente.

Todos estuvieron de acuerdo y Matt tomó la delantera. En cuestión de minutos, estaban en la entrada de la cueva donde el Sr. Alexander los esperaba.

—Espera. —Jenny les indicó que se acercaran—. ¿No creen que uno de nosotros debería buscar ayuda? Quiero decir, si los tres vamos allí, entonces todos seremos sus prisioneros.

Steve sacudió la cabeza. —Si solo dos de nosotros regresamos, entonces el señor Alexander sabrá que uno de nosotros fue a buscar ayuda y puede decidir tomar un rehén o dos, por si acaso.

Matt asintió con la cabeza. —Steve tiene razón. Vamos a entrar, darle el Zafiro Mágico y por fin terminar con esto.

Jenny estuvo de acuerdo y los tres amigos entraron a la cueva. Fuertes linternas los cegaron cuando los dos hombres hispanos se acercaron para escoltarlos hasta su jefe.

—Mira que bueno, los tres jóvenes Sherlocks han regresado —dijo Sr. Alexander—. ¿Encontraron el zafiro?

Steve se cruzó de brazos. —Sí, y estaremos encantados de dárselo tan pronto como deje ir a nuestros amigos. —Miró a su alrededor, pero para su sorpresa, Cassie y Ben no se veían por ningún lado.

Frank Alexander se echó a reír. —Tengo que admitir que eres bastante audaz. Pero parece que lo has olvidado, tengo un arma. Ahora dame la piedra.

—¿Dónde están los gemelos Baker? —preguntó Jenny.

Matt apuntó su dedo acusadoramente. —¿Qué hizo con ellos?

—El caballero y la joven están bastante seguros. —El Sr. Alexander levantó el arma—. Como serán ustedes una vez que entreguen la piedra.

—Tómelo. —Steve metió la mano derecha en el bolsillo y sacó la piedra. A pesar de que los gemelos Baker no estaban en la cueva, aún podrían estar en peligro. Echó un vistazo a la piedra mágica en su mano, y sintió que de alguna manera, entendía.

El señor Alexander tomó el Zafiro Mágico y lo examinó de cerca. —Es realmente magnífico. Esta joya será una adición deslumbrante a mi colección privada.

Le susurró algo a uno de sus compañeros hispanos y el hombre desapareció de la cueva, regresando unos momentos después con una gran bolsa de lona.

El ladrón de joyas sacó una caja negra cuadrada de la bolsa, colocó el zafiro dentro, luego metió la caja dentro del saco. Se dio la vuelta y miró a los niños.

—Sé que no piensan muy bien de mí, pero soy un hombre de palabra. Dije que si me traían el zafiro, les dejaría sin quitar una sola vida, y así lo haré. Por supuesto, deben entender que tampoco puedo dejar que me sigan. Estarán atados con una cuerda y sus teléfonos celulares serán llevados con nosotros. Pero tengo fe, mis detectives menores, de que realmente podrán encontrar una forma de escapar.

Levantó la bolsa de lona y le entregó su arma a Carlos.

—Para entonces, ya me habré ido de aquí, disfrutando de este magnífico zafiro en mi sala de arte. Ha sido un placer. Cuídense, jóvenes detectives, y buena suerte en sus casos futuros.

El Sr. Alexander se volvió y comenzó a caminar fuera de la cueva.

—¡Espere! —dijo Steve de repente.

El ladrón se detuvo y se volvió para mirarlo.

—¿Cómo lo supo? —preguntó Steve—. ¿Cómo supo venir aquí, a la mina de Grim Reaper?

El señor Alexander se echó a reír. —¿Quieres decir cómo no caí en el falso mapa que plantaste en la maleta? —Se acercó a Steve directamente—. Eres bastante inteligente, muchacho, pero me temo que he estado haciendo esto mucho más tiempo que tú. El hombre que era dueño de la maleta, un antiguo conocido mío, estaba buscando este tesoro hace varios años. Cuando la policía se acercó, dejó la maleta en el almacenamiento planeando regresar en una fecha posterior para continuar su búsqueda. Lamentablemente, mi historia anterior de su fallecimiento es, de hecho, la verdad.

El Sr. Alexander sacó el mapa falso que Steve había cosido en la maleta. —Este mapa, tu señuelo, fue comprado el año pasado. Detecté la artimaña de inmediato y me di cuenta de que pretendías perseguir el tesoro tú mismo. Simplemente esperé fuera de tu casa y te seguí hasta aquí.

Retrocedió varios pasos. —Ahora, me temo, es hora de mi partida. Desearía que las circunstancias fueran diferentes. Pareces ser un digno adversario.

Frank Alexander se inclinó y salió de la cueva. El más pequeño de los hombre hispanos ató las manos de todos a la espalda y ató los pies juntos. Carlos estaba de guardia, arma en mano. Una vez que todos estuvieron seguros, los dos hombres salieron de la cueva.

Matt luchó por salir de las cuerdas. —¿Qué creen que les pasó a Ben y Cassie?

Steve trató de sacar las manos de las cuerdas. —No lo sé.

—Tenemos que salir de aquí y detener esos ladrones. —Jenny se inclinó para ver si eso aflojaría las cuerdas apretadas.

—Salir de aquí, sí, estoy de acuerdo —dijo Matt—, pero ir tras esos tipos, no lo creo. Tienen armas, ¿recuerdan? Tuvimos suerte de que no las usaran la primera vez. No creo que debamos presionar nuestra suerte.

Jenny volvió a sentarse. —Entonces tenemos que ir a la policía. ¿No te parece, Steve?

—Lo primero que tenemos que hacer es salir de aquí. Una vez hecho eso, volveremos a ubicar el zafiro.

Matt frunció el ceño. —¿Cómo vamos a hacer eso? El señor Alexander ya hace tiempo que se fue.

—Solo trabajemos para salir de aquí, luego nos preocuparemos por el zafiro. —Steve giró su cuerpo de espaldas a sus amigos—. Matt, muévete aquí de espaldas a mi espalda. Trataré de deshacerte.

Matt obedeció y Steve se puso a trabajar tratando de aflojar las cuerdas. Los dos niños lucharon por liberarse.

—Oye —dijo Steve después de unos minutos—, creo que está funcionando. A ver si puedes mover tus manos libres.

—¡Éxito! —Matt quitó las cuerdas de sus manos.

—Bueno. Ahora desata a Jenny y a mí, entonces cada uno puede hacer sus propios pies.

En pocos minutos, todas las manos fueron liberadas y todos estaban trabajando para desenredar las cuerdas alrededor de sus tobillos.

—La primera fase está completa. —Steve se puso de pie—. Ahora pasamos a la fase dos: reubicar el Zafiro Mágico.

CAPÍTULO 9
EL AEROPUERTO

Steve recogió su mochila y salió de la cueva.

Matt y Jenny agarraron sus mochilas y lo siguieron.

—¿Cómo exactamente vamos a hacer eso? —preguntó Jenny mientras se peinaba la suciedad del cabello con los dedos—. Matt tiene razón acerca de que el Sr. Alexander se fue hace mucho tiempo, y tomó nuestros teléfonos celulares para que ni siquiera podamos llamar a la policía.

—El señor Alexander quiere este zafiro para su propia colección privada, ¿verdad?

Matt deslizó su mochila sobre su hombro. —Sí, recuerdo que dijo algo sobre mostrarlo en su sala de arte.

Steve puso su linterna dentro de su bolso mientras caminaban. —Exactamente. Esa colección privada tiene que estar en algún lugar de Inglaterra. Dado que solo hay un aeropuerto por aquí, creo que es una apuesta bastante segura que planea usar el aeropuerto pronto.

—¿Pero qué tan pronto? —preguntó Jenny—. Él ya podría estar en un avión en este momento.

—No lo creo, el Sr. Alexander no tenía idea de que él, o en realidad nosotros, encontraríamos el zafiro hoy, por lo que no va a tener una reservación ya. Probablemente tiene la intención de ir al aeropuerto y ponerse en espera para el próximo vuelo.

Jenny se ató el pelo en un moño. —Entonces, ¿cómo vamos a atraparlo?

—Tenemos que ir al aeropuerto de inmediato.

Matt miró su reloj. Estaba todo rayado de sus aventuras. —¿Cómo vamos a llegar allí? El aeropuerto está demasiado lejos para andar en nuestras bicicletas. —Intentó en vano eliminar algunos de los rasguños.

Steve salió del camino de tierra. —Vamos a ver a Tyrone. Tal vez nos pueda llevar.

Los tres detectives sacaron sus bicicletas de detrás de los árboles y pedalearon tan rápido como pudieron hacia el restaurante de su amigo.

Cuando entraron por la puerta principal, Tyrone corrió hacia ellos. —¿Dónde han estado, chicos? He dejado un montón de mensajes en sus teléfonos. Yo ... espera un minuto. ¿Qué les pasó a ustedes? —Señaló a su ropa polvorienta y sacó una pequeña piedra del cabello de Steve.

Matt se limpió el polvo de la camisa. —Es una larga historia.

—Una que con mucho gusto le contaremos más tarde —dijo Steve—. Pero en este momento, realmente necesitamos un aventón.

—¿A donde?

—El aeropuerto.

Tyrone escribió un texto rápido.

Segundos después recibió una respuesta. —Bueno. Su viaje está en camino. Ahora tengo algunas cosas que contarles. —Les indicó que se sentaran en una mesa—. Sobre ese ladrón de joyas, Frank Alexander, parece que ha contratado un par de matones para trabajar para él. Sus nombres son Carlos López y Juan Fernández, y son buscados en seis estados diferentes para todo, desde la falsificación hasta el asesinato. Estos no son tipos con los que quieren meterse.

—Ya hemos tenido el placer —se quejó Matt.

—¿Qué?

En ese momento sonó el teléfono celular de Tyrone. Se excusó por un momento y volvió emocionado.

—¡Tus amigos acaban de llegar al aeropuerto!

—Eso fue rápido. —Steve miró el reloj en la pared del restaurante—. ¿Qué tan pronto hasta que llegue nuestro viaje?

—Ahí está él ahora. ¡Vamos! —Tyrone sacó a los niños afuera y señaló a un taxi que esperaba en la acera—. ¿Deberíamos llamar a la policía y decirles lo que está pasando?

Steve pensó un momento. —No. Si ven a la policía, podrían esconderse. Entonces nunca los atraparemos.

—Entiendo tu punto, pero voy a llamar a mi amigo Chuck, que es un guardia de seguridad en el aeropuerto. Le diré que nos cuide.

—¿Nos? —repitió Matt.

Tyrone asintió con la cabeza. —Oh sí. Estos tipos son malas noticias. De ninguna manera les dejaré ir solos.

Steve sonrió abiertamente. —Muchas gracias, Tyrone.

Jenny se subió al taxi. —Eres el mejor.

El ansioso grupo de cuatro se dirigió rápidamente hacia el aeropuerto, esperando que el Zafiro Mágico no estuviera ya en un avión.

En el camino, Steve ideó un plan. —Una vez que lleguemos allí, nuestra mejor oportunidad de encontrar al Sr. Alexander y los hombres hispanos es dividirnos en dos grupos. Haremos que el taxi nos deje en Sensation Airlines, ya que está más o menos en el medio. Entonces Jenny y Tyrone irán a la izquierda, y Matt y yo iremos a la derecha.

Matt buscó en su mochila una barra de granola. —¿Cómo se supone que debemos informar al otro grupo si lo encontramos? No tenemos nuestros celulares.

—Tengo una idea, pero tendremos que esperar hasta llegar al aeropuerto para ver si realmente funciona. —Comenzó a buscar en su mochila.

Usando el celular de Tyrone, Jenny intentó llamar a la casa de Cassie y al teléfono celular. No respuesta en ninguno de los dos. Su preocupación por los gemelos Baker aumentó.

Llegaron al aeropuerto en veinte minutos y el amigo de Tyrone dejó al grupo cerca de Sensation Airlines como estaba previsto. Una vez dentro, notaron que los mostradores de boletos se extendían por toda la terminal. Steve sacó su linterna, la encendió y apuntó la luz hacia arriba. Aunque era bastante brillante en el aeropuerto, el grupo podía ver fácilmente el brillo de la linterna en el techo.

Él sonrió. —Perfecto.

Jenny miró la tenue luz del techo. —Eso parece una D.

Steve asintió con la cabeza. Había cortado cuatro tiras pequeñas de cinta de enmascarar y las había puesto en la lente de la linterna.

Le entregó a Jenny la linterna. —Esa es la idea. Si ustedes encuentran a los hombres antes que nosotros, coloquen la linterna en algún lugar y enciendan la luz en el techo. Mientras buscamos nuestra mitad del aeropuerto, seguiremos revisando para buscar la señal D. Sé que no es genial, pero tendrá que hacerlo por ahora. También pondré la señal en nuestra linterna.

—¿Pero por qué usaste una D para la señal? —Jenny apagó la linterna—. Eso parece algo al azar. ¿Qué significa eso?

—Les explicaré todo más tarde, en este momento necesitamos comenzar. Vayan y recuerden mirar hacia atrás cada pocos minutos para ver la señal D.

Jenny asintió y se fue con Tyrone para comenzar a buscar al ladrón de joyas y sus secuaces. Steve cortó rápidamente un poco más de cinta de enmascarar para hacer otra señal para la linterna de Matt.

Matt miró a todos los hombres que pasaban y sacudió la cabeza. —Amigo, esto va a ser bastante difícil. En serio, hay mucha gente aquí.

—Tenemos que mirar a todos en esta terminal. —Steve terminó de preparar la linterna y luego verificó su luz en el techo—. Esos tipos están aquí en alguna parte.

Los dos muchachos comenzaron su caminata en silencio, mirando de vez en cuando al techo por la señal D. Unos diez minutos después de su búsqueda, Steve sintió una mano pesada sobre su hombro. Se dio la vuelta y se encontró mirando a un alto guardia de seguridad.

—Hola chicos. Soy Chuck Wilson, el amigo de Tyrone. Me dijo que los vigilara.

Aproximadamente seis pies dos y doscientas cincuenta libras, el rubio Chuck parecía más un jugador de fútbol americano que un guardia de seguridad del aeropuerto.

Los ojos de Steve continuaron revisando la multitud. —¿Le dijo Tyrone lo que estamos haciendo aquí?

—Un poco. He estado manteniendo los ojos abiertos para los tipos que están persiguiendo, pero todavía no los he visto. Tengo que advertirles, voy a seguirlos a cierta distancia para que no parezca que estamos juntos. Podría llevar un tiempo encontrar a esos tipos y podría meterme en problemas si parece que estoy socializando en el trabajo.

Steve asintió con la cabeza. —Está bien. Probablemente sea mejor para nosotros no ser vistos con usted de todos modos. Su uniforme llama demasiado la atención. Queremos ser lo más invisibles posible para poder acercarnos sigilosamente a estos tipos.

Chuck se alejó de los niños, pero se mantuvo lo suficientemente cerca como para poder verlos en todo momento. Steve y Matt continuaron la búsqueda, vigilando el techo, por si acaso. En veinte minutos, los muchachos llegaron al final de la terminal sin señales de los hombres hispanos o Frank Alexander.

—¿Qué hacemos ahora? —Matt se dio la vuelta para examinar a la multitud detrás de ellos.

—Seguimos buscando.

Jenny y Tyrone terminaron su mitad de los mostradores de boletos. El dúo miró cuidadosamente a cada hombre en el edificio, sin importar lo que llevara puesto, pero no encontró rastro del ladrón de joyas o sus cómplices.

Tyrone suspiró. —Esto es una locura. Incluso si están aquí, será casi imposible encontrarlos.

Jenny miró hacia el techo. —No podrían haber conseguido un vuelo tan rápido. Deberíamos revisar los baños mientras estamos aquí.

Tyrone esperó afuera mientras Jenny revisaba el baño de mujeres, por si acaso, luego ella esperó afuera mientras él revisaba el baño de hombres. Los exámenes de los baños tomaron un tiempo, y fueron casi diez minutos cuando ambos comprobaron que estaban vacíos.

—¿Y ahora qué? —preguntó Tyrone.

Jenny pensó por un momento. —Probablemente deberíamos… ¡allí! ¡Ese es el señor Alexander! —Señaló a un hombre que cruzaba rápidamente la terminal.

—¿Estás segura? —preguntó Tyrone.

—Positivo. ¡Vamos, tenemos que seguirlo antes de perderlo!

—¿Qué pasa con la señal de la linterna?

Jenny corrió hacia adelante. —No hay tiempo. Se dirige hacia la seguridad ... lo estoy perdiendo.

Steve, con Matt a su lado, reanudó la búsqueda de los delincuentes. Una vez más, sus ojos miraron a través de la multitud con la esperanza de encontrar al astuto ladrón de joyas con el Zafiro Mágico.

Entonces vieron a Jenny corriendo hacia ellos.

Steve notó la mirada emocionada en su rostro. —¿Qué pasó?

—¿Lo viste? —Jenny preguntó sin aliento.

Matt miró a su alrededor. —¿Vimos a quién?

—Al señor Alexander. Lo seguimos hasta aquí.

—¿Lo viste? —preguntó Steve.

Jenny asintió con la cabeza. —Lo vimos comprando boletos y lo seguimos a seguridad, pero lo perdimos. Había demasiada gente.

Matt se puso de puntillas, tratando de mirar a una masa de personas. —Quizás esté en la fila en el control de seguridad.

Jenny sacudió la cabeza. —No. Nos abrimos paso entre la multitud y miramos a todos. El no estaba allí. Tiene que estar por aquí en algún lado.

—¿Dónde está Tyrone? —preguntó Steve.

—Se quedó atrás en el control de seguridad en caso de que el Sr. Alexander intentara colarse —dijo Jenny.

Los ojos de Steve recorrieron la multitud. —¿El Sr. Alexander los vio persiguiéndolo?

—No sé —admitió Jenny—. Pero parecía que tenía mucha prisa.

—Su vuelo debe partir pronto. Separémonos nuevamente, y todos mantengan los ojos abiertos. Si el Sr. Alexander nota que Tyrone está de guardia en seguridad, podría ponerse nervioso e intentar irse. Tenemos que encontrarlo rápido.

El grupo se separó, buscando alguna señal del ladrón o sus compañeros. Después de unos diez minutos, Matt dejó escapar un suspiro desanimado.

—Esto es imposible. Probablemente ya se haya ido.

Steve miró alrededor de la terminal frenéticamente. —Tenemos que seguir buscando. Él podría ... ¡espera! ¡Mira!

Allí, en el techo, apenas visible, estaba la luz de una linterna.

CAPÍTULO 10
UN LADRÓN ASTUTO

Steve hizo un gesto hacia el techo. —¡Es la señal D! Jenny y Tyrone deben haber encontrado algo. ¡Vamos!

Con Matt a la cabeza, los dos muchachos se apresuraron a través de la emisión de boletos en dirección a la señal de la linterna. Pronto vieron a Jenny y Tyrone haciéndoles señas.

—Allá —Jenny señaló a un banco cerca de uno de los mostradores de boletos—. Son los hombres hispanos.

—¿Algún avistamiento del señor Alexander? —preguntó Steve.

Jenny sacudió la cabeza. —No. Pero tiene que estar por aquí en algún lado si esos tipos están aquí.

Steve frunció el ceño. —No necesariamente. Dudo que los tres incluso se dirijan al mismo lugar. El señor Alexander probablemente regresará a Europa y estos dos probablemente se irán a México.

—Entonces, ¿qué hacemos ahora? —preguntó Matt.

Jenny se cruzó de brazos. —No podemos dejar que estos tipos se escapen. Nos retuvieron prisioneros y nos ataron. Sin mencionar el hecho de que todavía no sabemos qué pasó con Cassie y Ben.

—Estoy de acuerdo. —Steve hizo un gesto a Chuck, que estaba cerca, para que se acercara. Explicaron brevemente la situación y Chuck llamó en su radio para pedir ayuda.

—Está bien, muchachos. —Chuck volvió a poner el radio en su funda—. Podemos llevar a estos dos hombres al centro por ahora y hacerles un chequeo, pero podríamos necesitar que vayan allí y hagan una declaración.

Steve sacudió la cabeza. —A menos que sea absolutamente necesario, sería mejor si nos quedáramos fuera de esto.

Matt parecía perplejo. —¿Por qué?

—Déjame preguntarte esto, Matt. Si tu madre descubriera cuántas veces tu vida ha estado en peligro hoy, ¿alguna vez te dejaría trabajar en otro misterio?

—Umm, probablemente no. En realidad, creo que ella se asustaría y me encerraría en mi habitación con veinte cerraduras.

—¿Y tú, Jenn? ¿Le importaría a tu padre si te pusieras en peligro al intentar resolver misterios?

—Me castigará hasta que cumpla los cuarenta.

—Ni siquiera se preocupen por eso —Tyrone interrumpió—. Esos dos tipos son criminales buscados de todos modos. La policía no necesitará a ninguno de ustedes para meterlos en la cárcel.

Jenny se rascó la barbilla. —Pero si no vamos a decirle a nadie lo que estamos haciendo, ¿cómo vamos a tener más misterios que resolver? Nadie sabrá quiénes somos.

—Tal vez esto ayude. —Steve sacó una tarjeta de visita de su bolsillo.

Matt la estudió. —¿Qué es esto?

—Solo mírala.

Matt y Jenny miraron el pequeño papel.

Los Decodificadores
Investigadores Privados
Ningún caso es demasiado pequeño.

Matt le pasó la tarjeta a Tyrone. —No lo entiendo. ¿Quiénes son los Decodificadores?

Steve se estiró lo más alto que pudo. —Nosotros. Será el nombre que usaremos para resolver misterios. De esa manera, la gente sabrá cómo llamarnos sin que nuestros padres descubran lo que estamos haciendo.

—No estoy segura de entenderlo —interrumpió Jenny—, pero aquí viene la caballería.

Los refuerzos de seguridad de Chuck llegaron y arrestaron a los dos hombres hispanos. Cuando seguridad se los llevó, Chuck se acercó a los detectives. —Encontramos algunas identificaciones falsas y pasaportes en sus bolsillos.

Tyrone asintió con la cabeza. —Dile a la policía que compruebe sus huellas digitales. Esos tipos son buscados en muchos estados y probablemente también en México.

Chuck sonrió mientras volvía a poner el radio en su funda. —Me alegro de que hayamos encontrado a sus ladrones.

Steve suspiro. —En realidad, todavía nos falta uno.

—Sí —agregó Matt—, el principal.

—¿Quieren decir que todavía hay otro más? —preguntó Chuck.

Steve asintió con la cabeza. —Sí, y él es quien tiene la vida de otras dos personas en sus manos.

—¿Qué quieres decir?

Steve miró a su alrededor. Estaban prácticamente solos, con la excepción de una mujer rubia que se retocaba el maquillaje en un banco cercano y un par de niños que jugaban canicas en el piso. Steve dio una breve descripción de las aventuras del día que terminaron con su preocupación por Cassie y Ben.

Chuck preguntó qué aspecto tenía Frank Alexander, incluido lo que llevaba puesto. Se alejó hablando por su radio, dando a los otros guardias de seguridad una descripción del ladrón de joyas.

—Vámonos. —Matt se volvió hacia el grupo—. Tenemos que tratar de encontrarlo.

Jenny apartó el cabello de sus ojos. —Lo vimos antes. Tal vez él todavía está aquí.

—Vamos a separarnos otra vez —dijo Steve—. Jenny, toma la linterna, funcionó fantástico la última vez. ¡Apurense! No hay tiempo que perder.

Los grupos partieron en diferentes direcciones, duplicando sus esfuerzos para localizar a Frank Alexander. Después de veinte minutos de búsqueda frenética, los dos equipos se reunieron.

Matt se sentó, abatido. —No está aquí.

Jenny continuó mirando a las personas que corrían por el aeropuerto. —¿Dónde podría estar?

—El señor Alexander es un ladrón profesional. —La frustración en la voz de Steve era obvia—. Si notó la seguridad corriendo por aquí, probablemente se fué. El hombre sabe cómo evitar la ley.

—¿Qué pasará con Cassie y Ben? —dijo Jenny.

El grupo permaneció en silencio, sin saber qué hacer a continuación. Habían estado tan cerca, solo para perder todo ahora, en el aeropuerto.

Steve cerró los ojos, tratando de pensar en un nuevo curso de acción. Momentos después, sintió un golpecito en el hombro.

—Disculpa. —La voz de un hombre interrumpió sus pensamientos—. ¿Eres ... Steve?

Steve levantó la vista y vio un encargado de equipaje mirándolo. —Sí.

El hombre asintió con la cabeza. —Me dijeron que te diera esto. —Le entregó a Steve un sobre.

—¿Quién le dijo que me diera esto?

—Una mujer.

Steve tomó el sobre y le agradeció al hombre. El encargado del equipaje se alejó.

—¿Qué es eso? —preguntó Matt, señalando al sobre.

Steve se encogió de hombros. —Ni idea.

Jenny se puso las manos en las caderas. —Pues, ábrelo ya.

Steve rasgó el sobre y sacó una carta escrita con una hermosa letra en el papel de la aerolínea. Leyó la nota en voz alta.

Veo que mis tres detectives jóvenes no han renunciado a su búsqueda. ¡Su dedicacion es admirable! Recientemente he aprendido de su preocupación por los niños Baker. Ellos estan bastante seguros. Mi chofer los dejó en la casa de su abuela hace horas. Nunca fue mi intención dañarlos. Me disculpan por cualquier angustia que les pueda haber causado. Hasta que nos volvamos a ver (y no tengo dudas lo haremos), ¡la mejor de las suertes para los DECODIFICADORES!

Atentamente,

Frank Alexander

El grupo se miró incrédulo.

Jenny suspiró. —Espero que lo que dijo sobre los gemelos Baker sea cierto.

Matt estuvo de acuerdo. —No creo que sepas el número de teléfono de sus abuelos, ¿verdad?

Jenny sacudió la cabeza. —No. ¿Y tú, Steve? ¿Steve?

—¿Qué pasa, amigo? —Matt notó que su amigo miraba fijamente la nota escrita a mano.

Steve no respondió. Su mirada permaneció fija en la carta. Algo allí no tenía sentido. Entonces, la golpeó. —¡Eso es! Tyrone, ¿iría a buscar a Chuck? Y dese prisa, por favor.

—¿Por qué?

—Porque Frank Alexander todavía está aquí.

Tyrone se apresuró a llamar a Chuck que había salido a esperar a la policía.

Jenny observó a Tyrone correr hacia la salida. —¿Qué te hace pensar que el Sr. Alexander todavía está aquí?

—No pienso, *sé* que todavía está aquí.

—¿Dónde? —exigió Matt—. Buscamos en todas partes. El hombre no está aquí.

—Exactamente. El *hombre* no está aquí.

—Espera un momento, estoy totalmente perdida —se quejó Jenny—. ¿De qué estás hablando?

—En la carta, el Sr. Alexander se refiere a nosotros como los Decodificadores, un nombre del que ni siquiera ustedes dos habían escuchado hasta que les conté hace un momento. Lo que significa…

—…lo que significa —interrumpió Jenny, finalmente entendiendo lo que Steve estaba diciendo—, tenía que estar cerca de nosotros cuando estábamos hablando de eso.

—Ah, lo entiendo. —Matt se dio cuenta—. Y el único adulto que estaba cerca cuando hablabas de eso era una mujer de cabello rubio.

Steve asintió con la cabeza. —La misma *mujer* que le dio la carta al encargado del equipaje para que me la entregara.

—Entonces, el Sr. Alexander se puso una peluca rubia y un vestido para no reconocerlo. —Matt silbó.

Steve asintió con la cabeza. —Sí, y lo creímos, hasta ahora. Aquí viene Tyrone con Chuck. Jenny, explícales lo que está pasando; Matt y yo intentaremos encontrarlo antes de que se escape. ¡Vamos a localizar a esa mujer rubia!

Frenéticamente, los dos niños se separaron para buscar en cada mostrador al rubio Frank Alexander. En quince minutos, se reagruparon.

—Él, o más bien, *ella* no está aquí —dijo Matt.

Steve indicó a Jenny, Tyrone y Chuck, que corrían hacia ellos, que se apresuraran. —Chuck, ¿crees que puedes ayudarnos a pasar el control de seguridad? Apuesto a que el señor Alexander ya está en su puerta.

108

—No hay problema. Síganme.

Chuck los condujo a través de una puerta de seguridad lateral, y después de una breve conversación con el agente de seguridad, pasó al grupo a través de los detectores de metales.

—Vamos a separarnos de nuevo —ordenó Steve—. Necesitamos encontrar al Sr. Alexander antes de abordar su avión.

Los dos grupos fueron en direcciones opuestas, cada uno determinó que el ladrón de joyas no escaparía. Steve se detuvo en el monitor más cercano y miró los vuelos que partían. Se mordió el labio al pensar. El señor Alexander era inteligente. ¿Tomaría un vuelo al aeropuerto internacional de Los Ángeles para tomar un vuelo a Londres? O, ¿tomaría un pequeño vuelo a otro lugar para sacar a la policía de su rastro?

En ese momento, un piloto y dos asistentes de vuelo caminaron junto a él, discutiendo un memo que uno de ellos tenía en la mano. Steve los vio pasar y sus ojos se agrandaron. Buscó en el monitor desesperadamente hasta que encontró lo que estaba buscando.

—Ahí. —Señaló al monitor—. Vuelo de USA Air ochenta y dos a Boise, puerta doce.

Jenny acababa de buscar en el baño de damas y se estaba atando el cordón de los zapatos cuando vio a Steve, Matt, Tyrone y Chuck, todos corriendo.

Chuck estaba gritando en su walkie-talkie. Jenny terminó de atar su zapato y corrió para alcanzarlos.

Cuando el grupo llegó a la puerta doce, Chuck se dio la vuelta. —Esperen aquí. —Desapareció por la puerta.

Sin aliento, Jenny finalmente alcanzó a sus amigos. —¿Qué está pasando? —preguntó entre respiraciones.

Justo en ese momento, dos guardias de seguridad más pasaron corriendo y también desaparecieron por la puerta.

Matt respondió, también tratando de recuperar el aliento. —Steve dice que está en ese avión.

Jenny miró la pantalla sobre la puerta. —Boise, Idaho? ¿En serio?

—Compruébalo por ti mismo —dijo Steve, con una mirada de orgullo en sus ojos.

Frank Alexander, escoltado por los dos guardias de seguridad y Chuck, salió por la puerta frente a ellos. Su peluca rubia en la mano, era un espectáculo curioso de ver. Se detuvo y miró a Steve.

—Te he subestimado, muchacho. Un error que no volveré a cometer.

—No creo que alguna vez tendrá la oportunidad. —Steve sonrió—. Adiós, señor Alexander. Disfrute su tiempo en prisión.

El ladrón miró furioso a Steve cuando los policías se lo llevaron.

—Ahora, Steve, dinos —dijo Jenny—, ¿cómo sabías que estaría en ese vuelo a Idaho?

—Sabía que el Sr. Alexander quería salir de aquí lo antes posible. Cuando miré los monitores, había un montón de vuelos que salían al mismo tiempo. Y entonces me di cuenta. Nos dijo en qué vuelo estaría.

—¿Eh, me perdí algo aquí? —Matt parecía perplejo—. No recuerdo que haya dicho nada sobre estar en un vuelo a Boise.

—No lo dijo en palabras. Lo dijo en esto. —Steve levantó la carta que el señor Alexander les había escrito.

Jenny le arrebató la carta de la mano. —Esto no dice nada sobre subirse a un avión.

—No tenía que decirlo. Mira el papel mismo. Es de USA Air. El señor Alexander no tendría USA Air estacionario a menos que hubiera estado en el mostrador de USA Air. Una vez que lo descubrí, simplemente busqué en el monitor el próximo vuelo de USA Air, y por suerte para nosotros, solo había uno: Boise, Idaho.

—Eso fue realmente un buen pensamiento —elogió Matt—. Nunca se me hubiera ocurrido a mi.

—Disculpen —Chuck interrumpió su conversación—. Pero creo que todos estaban buscando esto. —Le entregó a Steve una pequeña caja negra.

CAPÍTULO 11
EL RECUERDO INESPERADO DE ALYSHA

Steve contuvo el aliento y abrió la caja lentamente. En el interior, brillando bajo las luces del aeropuerto, yacía el Zafiro Mágico. Débilmente, escuchó el susurro de nuevo. Pero esta vez, lo entendió.

—Supongo que probablemente estos también sean suyos. —Chuck les mostró un montón de teléfonos celulares.

—¡Sí! —Jenny felizmente tomó su teléfono celular. Inmediatamente marcó el celular de Cassie.

Matt agarró su teléfono y se lo guardó en el bolsillo. —Pensé con seguridad que iba a tener que decirle a mi mamá que perdí otro celular. Ella me habría matado.

—Extraño. —Jenny colgó—. Cassie me preguntó cómo se siente ser una perdedora total, se rió y luego me colgó.

Steve sonrió. —Al menos sabemos que está a salvo.

—Y tan pesada como siempre —murmuró Matt.

Tyrone aplaudió. —Creo que esto requiere una celebración. Cena en *Tyrone's*, mi regalo.

—¡Hurra! —Nada excitó más a Matt que la comida gratis.

Jenny volvió a encender su teléfono celular. —No puedo esperar para llamar a Alysha y contarle todo lo que sucedió.

—Tráela también —dijo Tyrone.

—Bueno. Gracias.

La cena en el restaurante de Tyrone fue una ocasión alegre. Steve, con constantes interrupciones de Matt y Jenny, le explicó a Alysha todo lo que sucedió en las cuevas y en el aeropuerto, terminando con el arresto de los hombres hispanos y la sorprendente captura de Frank Alexander.

—Los Decodificadores. —Tyrone volvió a mirar la tarjeta de visita—. Me gusta. Tiene un sonido agradable.

Alysha estuvo de acuerdo.

—Pero ustedes no pueden decirle a nadie quiénes somos —advirtió Jenny mientras se metía una papita en la boca.

Matt sorbió su batido. —Sí, o nuestros padres nos castigarán por vida.

—No se preocupen —aseguró Tyrone—. De mi boca no saldrá.

Alysha se echó a reír. —De la mía tampoco. Pero tengo una pregunta más.

Jenny agregó sal a sus papas fritas. —¿Que quires saber?

—¿Qué va a pasar con el misterioso Zafiro Mágico?

Steve se reclinó en su silla. —Mañana lo pondremos en el único lugar que sabemos que estará seguro.

—¿Dónde está eso?

—El museo.

Alysha parecía confundida. —¿Pero el museo no preguntará de dónde lo sacaste? Quiero decir, probablemente llamarán a tus padres.

Jenny sonrió astutamente. —No si es misteriosamente donado.

—¿Misteriosamente donado?

Matt puso su vaso al revés para obtener los últimos restos de su batido de chocolate. —Sí.

Steve se dio cuenta de que Alysha todavía no lo entendía. —Mañana, el museo recibirá una caja de los Decodificadores, en el interior estará la piedra, junto con el poema y una explicación.

—Ajá, lo entiendo. —Alysha asintió—. Así que el museo realmente no sabrá quién les dio el zafiro, solo que fueron los Decodificadores anónimos. Es una gran idea.

—La idea de Steve —dijo Jenny—. Por supuesto.

Steve solo gruñó. En realidad no fue idea suya. Pero, ¿cómo podría explicar que el zafiro le había dicho que eso era lo que quería, estar dentro de un museo? Todos pensarían que estaba loco.

—De esta manera, la gente comenzará a escuchar sobre nosotros sin saber realmente quiénes somos. —Matt robó una papita del plato de Jenny.

Tyrone se puso de pie. —Es perfecto. Ahora, tengo una sorpresa para todos ustedes . — Desapareció en la cocina y pronto regresó con un pastel en sus manos.

—Buen provecho. —Puso el postre en el centro de la mesa—. Pastel de manzana caliente, recién salido del horno. Mi regalo para todos ustedes por un trabajo bien hecho.

Agradecieron infinitamente a Tyrone y disfrutaron el postre con cordialidad. Una vez que terminaron el último trozo de pastel, Alysha miró su reloj.

—Escuchen, mi mamá estará aquí en cualquier momento, pero ¿pasarían por mi casa mañana? ¿Tal vez alrededor de la una?

—Claro —dijo Jenny.

—Perfecto. Les tendré una sorpresa.

Al día siguiente, Matt y Jenny se juntaron en la casa de Steve y se prepararon para ir en bicicleta a la casa de Alysha.

—Déjame agarrar mi chaqueta. —Steve abrió el armario del pasillo.

Matt se metió un gusano de goma en la boca. —¿A quién le estás enviando mensajes de texto ahora?

—No envio mensajes esta vez. —Los dedos de Jenny volaron sobre el teclado—. Estoy documentando.

—¿Eh?

—Es mi diario temporal. —Levantó el teléfono para mostrárselo—. Utilizo la app de notas para realizar un seguimiento de las cosas para poder ponerlo en mi diario permanente más tarde.

—El diario de Jenny —comentó Matt—. Eso es algo que debe estar bajo cerradura y llave.

Jenny le sacó la lengua.

—¿Cuánto tiempo has estado haciendo eso? —preguntó Steve, de repente muy interesado en el teléfono de Jenny.

—No lo sé. Unos meses, supongo. ¿Por qué?

Steve contuvo el aliento. Su rostro se distorsionó como si se esforzara por pensar en algo.

—¿Steve? —Matt parecía un poco preocupado—. ¿Estás bien? No creo que Jenny tenga nada en su diario por lo que debas preocuparte tanto.

Jenny sacudió la cabeza. —No, no, no. Nunca he escrito nada sobre los Decodificadores, lo prometo.

Steve dejó escapar el aliento lentamente y sonrió. —Esa es la última pieza del rompecabezas.

¿De qué estás hablando, amigo? —preguntó Matt—. ¿Qué rompecabezas?

—Vámonos. —Steve abrió la puerta principal—. Te lo explicaré en el camino.

Mientras los tres niños pedalearon hacia la casa de su amiga, Steve explicó su teoría final. —Me ha estado molestando cómo Cassie y Ben encajan en todo esto con el Sr. Alexander. Ahora creo que lo tengo resuelto.

—Déjame adivinar —interrumpió Matt—. ¿Los locos se atraen?

Steve rio. —Algo así. El primer día que obtuvimos la maleta, cuando estábamos subiendo al camión de Jenny, noté que el Sr. Alexander tomó una foto con su teléfono celular. No pensé en nada hasta ahora.

—¿De qué tomó una foto? —preguntó Jenny.

—La camioneta de tu papá. Debe haber rastreado el número de la placa hasta tu casa, y luego, mientras estabas fuera, irrumpió en tu casa y descubrió que tu celular se estaba cargando.

—¡Sabía que alguien había movido mi teléfono!

Steve asintió con la cabeza. —Probablemente leyó tus notas y encontró la entrada que hiciste de Cassie y Ben. Así es como sabía que estarían dispuestos a ayudarlo.

—Esos pésimos ... —La voz de Matt se apagó.

Jenny parecía preocupada. —¿Y si Cassie y Ben le cuentan a la gente sobre nosotros en la cueva? Tienen que saber que estábamos allí buscando el tesoro.

—No me preocuparía demasiado por ellos. —Steve sonrió—. Apuesto a que se sintieron realmente estúpidos cuando vieron la foto de Frank Alexander en la portada del periódico esta mañana y se dieron cuenta de que habían ayudado a un ladrón internacional de joyas. Estoy bastante seguro de que no le dirán a nadie que alguna vez lo vieron.

Llegaron a su destino y la madre de Alysha los condujo a la sala de trabajo de su amiga.

Alysha hizo rodar su silla de ruedas hacia ellos. —Tengo algo que mostrarles. —Abrió una carpeta y le entregó a Steve una hoja de papel—. ¿Qué piensan de esto?

Steve miró el papel, que parecía ser un artículo de un periódico, y comenzó a leerlo en voz alta:

—LOS DETECTIVES LOCALES ENCUENTRAN EL ZAFIRO MAGICO
Tres detectives locales conocidos solo como los Decodificadores obstaculizaron los planes del ladrón internacional de joyas, Frank Alexander, al recuperar el Zafiro Mágico de Elias Darby...

Steve dejó de leer. —Esto se trata de nosotros.

Alysha asintió lentamente. —Sí. Sigue leyendo.

Steve continuó leyendo, asombrado de cómo el artículo explicaba el caso mientras dejaba de lado detalles específicos que los identificarían a los tres como los Decodificadores.

—¡Eso es genial! —dijo Matt después de que Steve terminó de leer el artículo.

—Es increíble. —Jenny estuvo de acuerdo.

Excelente con las palabras, Alysha a menudo escribía artículos para el periódico escolar y, a veces, para el periódico local.

—¿Qué piensas, Steve? —Alysha jugueteó con el anillo en su dedo.

Steve respiró hondo. —Creo que este artículo sería una excelente primera entrada en los archivos DECODIFICADORES.

—¡Así que te gusta! —Alysha se recostó, sonriendo—. Estoy tan feliz. Envié una copia al editor del *Beachdale Times*. Dijo que tenía algo de espacio en la edición de la tarde. No va a estar en la primera plana ni nada porque ya contaron la historia del arresto de Frank Alexander, pero al menos estaría en el periódico ...si está bien con ustedes.

—¿Estás bromeando? —Matt tomó un trozo de chocolate del plato de dulces—. Esto es fantástico.

Jenny le dio un abrazo. —Alysha, eres la mejor.

Ella se sonrojó ante los cumplidos. —Bueno, vamos a hacer un trato. Ustedes resuelven los misterios y yo puedo escribirlos para el periódico. ¿Acuerdo?

¡Sí! —dijeron los tres amigos al unísono.

Steve, Matt y Jenny pronto se despidieron de Alysha y comenzaron a caminar hacia sus bicicletas.

—Me pregunto cómo será nuestro próximo misterio. —Jenny se ató el cabello en una cola de caballo.

—Espero que sea algo menos peligroso —dijo Matt mientras sacaba un paquete de chicles del bolsillo y se lo ofrecía a sus amigos—. Como encontrar un anillo perdido.

Steve agarró un chicle y lo desenvolvió. —Fácilmente podría ser así de simple. No podemos rechazar ningún caso, por ridículo que parezca. Tenemos que construir nuestra reputación, lo que significa resolver cada misterio que se nos presente, sin importar cuán pequeño sea.

—Eso no debería ser demasiado difícil. —Jenny también tomó un chicle—. Después de todo, ya resolvimos el caso más difícil que vamos a tener.

—Cierto —dijo Matt y guardó el chicle restante en su bolsillo—. No hay forma de que ningún otro misterio sea tan peligroso como este. Y por mi parte, estoy feliz por eso.

Steve y Jenny estuvieron de acuerdo. El trío pronto se subió a sus bicicletas y se separó, sin saber que el día siguiente les presentaría un nuevo misterio, uno aún más desconcertante que el primero.

¿Quires mas de Los Decodificadores? Pasa la página para ver el primer capítulo de su próximo misterio, *La Dama Fantasma*.

LA DAMA FANTASMA

CAPÍTULO 1
UN NUEVO MISTERIO

Steve entrecerró los ojos. No podría haber errores esta vez. Respiró hondo, cuadró los hombros y apuntó.

—Ay —dijo su amigo Matt cuando el M&M rojo lo golpeó en la frente—. Amigo, apestas en esto. Mira ... y aprende. —Levantó la mano derecha que sostenía un caramelo.

Suspirando, Steve abrió la boca. Efectivamente, un caramelo naranja aterrizó directamente en su lengua. Lo mordió en dos. —¿Cómo te volviste tan bueno en esto?

—Práctica, amigo. —Lanzó un M&M amarillo en el aire y lo atrapó en su boca—. Mucha, mucha práctica. Oye, Jenn, ¿de qué se trata esta película?

Jenny Reed se encogió de hombros. —No lo sé. Papá dijo que era como una especie de película independiente de bajo presupuesto. Pero en serio,

¿realmente importa? ¡Vamos a estar en una película!

Ayer por la mañana, un viejo amigo del padre de Jenny había traído un montón de equipo de película que necesitaba arreglo a su taller de reparación y le preguntó a su padre si conocía a algún niño que quisiera ser extra en una película. Jenny se ofreció voluntariamente, junto con sus dos mejores amigos, Matt Peterson y Steve Kemp.

Steve lanzó un M&M azul alto en el aire. Aterrizó en su ligero afro. Él gruñó. Si Jenny no le hubiera suplicado que se uniera a ella en esta película, habría pasado los días siguientes investigando los deberes de los oficiales del club. Al final del año escolar anterior, había sido elegido presidente de la Sociedad Nacional de Honor Junior y de la Unión de Estudiantes Negros, y planeaba ser el mejor presidente que la Escuela Intermedia de Beachdale había visto. Quizás, el mejor presidente de todo el estado de California.

—Además —agregó Jenny, con sus ojos azules parpadeando—, podríamos encontrar un misterio en el set de la película.

—¿Un misterio? —Steve se animó. Si había algo que le gustaba más que un buen libro, era un buen misterio—. ¿Por qué dices eso?

—El amigo de mi papá es el director, y dijo que la película ha sido golpeada por una racha de mala suerte durante las últimas dos semanas.

Matt lanzó un caramelo verde en el aire. Golpeó el techo, y esta vez cayó al suelo. —¿Mala suerte? ¿Cómo qué? —Se inclinó para recoger el chocolate.

—Equipo roto, objetos desaparecidos, cosas así. —Jenny abrió la cámara en su teléfono celular—. Mira todas las cosas que papá tuvo que reparar. Nos tomó como cinco horas hoy terminarlas a tiempo, y eso fue después de que mi papá trabajó en ellas todo el día de ayer.

Los chicos miraron las fotos.

—Equipo roto, objetos desaparecidos. —Steve arrugó la frente—. Eso suena como un sabotaje.

—Sí —dijo Jenny—. También pensé lo mismo. Apuesto a que alguien quiere arruinar la película.

—O —intervino Matt—, tal vez, es solo un caso de mala suerte. Cosas así suceden, ya saben.

Jenny se cruzó de brazos. —Una luz rota o un lente de cámara roto, sí, sucede. Pero esta cantidad? ¿En solo un par de semanas?

Matt puso los ojos en blanco.

—De cualquier manera —interrumpió Steve antes de que sus amigos comenzaran a discutir inútilmente, como solían hacer—, haremos nuestra máxima prioridad el descubrir qué está pasando realmente.

—Que barbaridad —murmuró Matt y apartó su cabello castaño oscuro de sus ojos—. Ahora estamos inventando misterios para resolver.

—Bueno, Sr. Gruñón —dijo Jenny—, no puedes decirme que no te divertiste en los últimos días con El Zafiro Mágico. Recuerda, resolver misterios es lo nuestro ahora. ¿No estás listo para una nueva aventura?

Steve sonrió ante la mención de su primer misterio que habían apodado El Zafiro Mágico. Después de derrotar ayer a un ladrón internacional de joyas, el trío no había planeado que se le presentara otro misterio tan pronto.

Matt arrojó los caramelos restantes de la bolsa a su boca. —Mientras podamos resolver un misterio sin ponernos en peligro nuevamente. Porque, en serio, no estoy deseando que me apunten con un arma como la última vez.

—Si es solo una racha de mala suerte como dicen, entonces no tenemos nada de qué preocuparnos —dijo Steve.

—¿Y si no? —Matt hizo una bola con el envoltorio de caramelos vacío y lo tiró a la basura al otro lado de la habitación—. Sabes qué, amigo, no respondas a eso.

Un bocinazo del exterior interrumpió la conversación. Los tres niños tomaron sus bolsas de lona y se encontraron con el Sr. Reed en el camino de entrada. La parte trasera de su camioneta roja estaba llena del equipo fijo del set de la película. —Suban —dijo a través de la ventana abierta del lado del pasajero.

Colocaron sus equipajes en la cama del camión, con cuidado de no dañar ninguno de los equipos. Steve, el más pequeño del trío, empujó el asiento hacia adelante y se acurrucó en la parte trasera de la cabina extendida. Jenny devolvió el asiento a su posición normal y se deslizó en el medio junto a su padre. Matt subió el último.

La discusión sobre el misterio potencial se detuvo. Debido a la cantidad de peligro en que la última aventura los había puesto, los tres niños de doce años decidieron que sería mejor no contarles a sus padres sobre su nuevo pasatiempo.

A las siete y media, el grupo salió de la autopista hacia un camino de tierra desierto. Cuando finalmente llegaron al set de la película una hora después, el Sr. Reed se estacionó frente a lo que parecía ser el remolque principal. Cuando salieron del camión, Steve echó un buen vistazo a su alrededor. Se había construido una ciudad pequeña y falsa en medio de un bosque de pinos. A la derecha de la ciudad había tres filas de remolques de diferentes tipos.

Un hombre alto y delgado de unos cuarenta años con la cara afeitada y el cabello castaño claro abrió la puerta del remolque principal. —Me alegro de que por fin llegaste, Eric. —Estrechó la mano del señor Reed.

—Encantado de estar aquí. Tom, esta es mi hija Jenny y sus amigos Matt y Steve.

El director de cine les estrechó la mano. —Les estoy muy agradecido a ustedes por hacer esto sin previo aviso. Nuestro último grupo de niños se fue inesperadamente, así que me emocioné cuando Eric dijo que ustedes tres estaban interesados en el trabajo.

—¿Qué haremos exactamente, señor Mason? —preguntó Steve.

—No mucho realmente. Y, por favor, llámame Tom. Solo necesitamos que ustedes estén en el fondo de un par de escenas. Se supone que Coppertown es una ciudad familiar, y todavía no hemos filmado ninguna escena con niños.

—Coppertown? —Steve repitió.

Tom asintió con la cabeza. —Sí. Ese es el nombre de la película. *Coppertown* está ambientada en una ciudad del viejo oeste.

El señor Reed levantó la mano. —Odio interrumpir, pero tengo un largo viaje de regreso y quiero ponerme en marcha antes de que sea demasiado tarde.

—¿Te gustaría comer algo antes de irte? —preguntó Tom—. El comedor no está muy lejos de aquí.

—No, gracias. Estaré bien. Solo muéstrame dónde descargar el equipo.

Tom señaló a un cobertizo cercano. El padre de Jenny condujo el camión hacia allí, y Tom y los niños descargaron todo el equipo.

Después de despedirse de Jenny y de prometer regresar en unos días, el Sr. Reed se fue.

El director de cine se volvió hacia los niños. —¿Y ustedes tres? ¿Tienen hambre?

—Por supuesto que sí —dijo Matt con entusiasmo. Jenny y Steve se sonrieron el uno al otro. Matt siempre tenía hambre.

—Está bien, entonces —dijo Tom y se rió—. Les daré un recorrido rápido por el lote y les dejaré en la carpa comedor.

Durante la siguiente media hora, el director acompañó al trío señalando a las diferentes partes del set, incluido el remolque del vestuario donde serían equipados con ropa del oeste a la mañana siguiente.

Tom terminó el recorrido y dejó sus nuevos extras en el comedor, donde un proveedor había preparado una variedad de sándwiches, papas fritas, verduras y postres. Los tres amigos llenaron sus platos con comida y salieron.

Eligieron una mesa ocupada por un hombre mayor con una barba gris rizada. Los niños saludaron al hombre que simplemente gruñó en respuesta.

—Saben que —dijo Jenny mientras mordía una zanahoria—, pensé que habría mucha más gente alrededor.

—Sé lo que quieres decir. —Matt agarró una pila gigante de papas fritas de su plato—. Este lugar parece desierto. —Trozos de papas volaron por todas partes mientras intentaba meter el puñado de comida en su boca.

Steve miró a su alrededor y se encogió de hombros. —Lo más probable es que todos hayan terminado por hoy.

—Supongo —dijo Jenny, sonando un poco decepcionada—. Me imaginé que las cosas seguirían sucediendo, incluso cuando no estén filmando.

—Tienen miedo —dijo el hombre canoso.

—¿Disculpe? —dijo Jenny, mirando a su alrededor para ver si estaba hablando con ellos.

—Sabes lo que les pasó a los niños que se suponía que estaban en la película, ¿no? —Su voz apenas por encima de un susurro.

—No —dijo Steve en voz igualmente baja—. ¿Nos lo diría?

Miró a su alrededor, como para asegurarse de que nadie estuviera escuchando. —La vieron a *ella*.

—¿A quién? —preguntó Steve.

Bajó aún más su crujiente voz. —La Dama Fantasma.

Matt se tragó el bocado gigante de comida de una sola vez. —¿Dijo f-fantasma?

—Matt —dijo Steve, rodando los ojos—. Los fantasmas no existen.

—Cree lo que quieras. —El hombre se puso de pie enfadado, obviamente molesto con la declaración de Steve—. Pero, marca mis palabras. Ella está enojada con nosotros y quiere que nos vayamos. Este lugar aquí está maldito y permanecerá maldito hasta que nos vayamos.

Se fue furioso dejando a los tres niños mirándose inexpresivamente el uno al otro.

LIBROS DE ALBA ARANGO

The Decoders Series (Los Decodificadores)
(en inglés)

The Magic Sapphire

The Lady Ghost

The Sleepwalking Vampire

The Mysterious Music Box

The Statue of Anubis

The Miner's Gold

(en español)

El Zafiro Mágico

The JJ Bennett: Junior Spy Series
(en inglés)

Problems in Prague

Jeopardy in Geneva

Bedlam in Berlin

Danger in Dublin

Last Stand in London (Summer 2020)

SOBRE LA AUTORA

Alba Arango es la autora de la serie Los Decodificadores, así como de la serie JJ Bennett: Junior Spy. Ella vive en Las Vegas, Nevada, donde es una maestra jubilada de secundaria que se convirtió en autora a tiempo completo. Le encanta el café y el chocolate (especialmente juntos ... ¡el moca con chocolate blanco es lo mejor!).

Para obtener más información sobre Alba, visite su sitio web en AlbaArango.com.

Instagram @AlbaArango.007

Twitter @AlbaArango007

Facebook: Alba Arango Author Page

Made in the USA
Las Vegas, NV
03 March 2021